#상위권_정복
#신유형_서술형_고난도

일등
전략

이 책을 집필해 주신 분들

김호태 서울사대부설중학교 교사
신해연 자유기고가
이현정 서울사대부설중학교 교사

Chunjae
Makes
Chunjae

▼

[일등전략] 중학 국어 문법 1

개발총괄	김덕유
편집개발	고명선, 김보경, 김수나, 조은미
디자인총괄	김희정
표지디자인	윤순미
내지디자인	박희춘, 우혜림
제작	황성진, 조규영
조판	풀굿(항민경)

발행일	2022년 1월 1일 초판 2022년 1월 1일 1쇄
발행인	(주)천재교육
주소	서울시 금천구 가산로9길 54
신고번호	제2001-000018호
고객센터	1577-0902
교재 내용문의	02)3282-1752

중학 국어 문법 1

BOOK 1

학교시험대비

일등
전략

이 책의 구성과 활용

주 도입

이번 주에 배울 내용이 무엇인지 안내하는 부분입니다. 재미있는 만화를 통해 앞으로 배울 학습 요소를 미리 떠올려 봅니다.

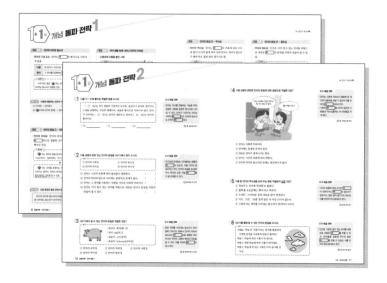

1일 개념 돌파 전략

성취기준별로 꼭 알아야 하는 핵심 개념을 익힌 뒤 문제를 풀며 개념을 잘 이해했는지 확인합니다.

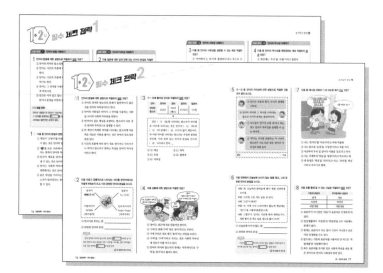

2일, 3일 필수 체크 전략

꼭 알아야 할 대표 유형 문제를 뽑아 쌍둥이 문제와 함께 풀어 보며 문제에 접근하는 과정과 방법을 체계적으로 익혀 봅니다.

부록 시험에 잘 나오는 대표 유형 ZIP

부록을 뜯으면 미니북으로 활용할 수
있습니다. 시험 전에 대표 유형을 확실
하게 익혀 보세요.

주 마무리 코너

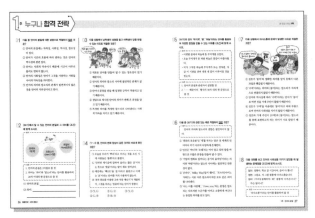

누구나 합격 전략
기초 이해력을 점검할 수 있는 종합 문제로 학습 자신감을
고취할 수 있습니다.

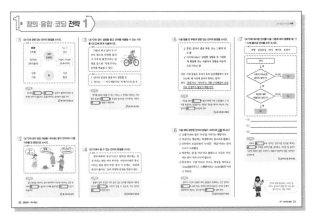

창의·융합·코딩 전략
융복합적 사고력과 문제 해결력을 길러 주는 문제로 구성하
였습니다.

권 마무리 코너

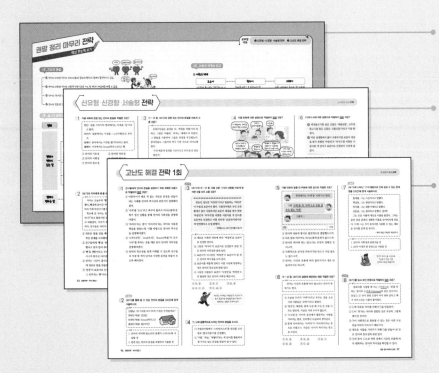

권말 정리 마무리 전략
학습 내용을 도식으로 정리하여 앞에서 공
부한 내용을 한눈에 파악할 수 있습니다.

신유형·신경향·서술형 전략
신유형·서술형 문제를 집중적으로 풀며 문
제 적응력을 높일 수 있습니다.

고난도 해결 전략
실제 시험에 대비할 수 있는 모의 실전 문제
를 3회로 구성하였습니다.

이 책의 차례

1^주 언어의 본질

🔵 우리가 사용하는 언어는 어떤 특성이 있을까?

언어의 자의성

| 공부할 내용 | ❶ 언어의 자의성 이해하기 | ❸ 언어의 역사성 이해하기 |
| | ❷ 언어의 사회성 이해하기 | ❹ 언어의 창조성 이해하기 |

언어의 사회성

우리나라 사람들이 '🌳'를 '나무'라고 부르는 것은 언어가 그 언어를 사용하는 사람들 사이의 사회적 약속이기 때문이지.

나무에 물 줬어?

그 나무는 깜빡했다. 지금 줄게.

언어의 역사성

'나모'로구나!

'나무'다!

언어는 시간의 흐름에 따라 끊임없이 변화해.

언어의 창조성

인간은 새로운 단어나 문장을 끊임없이 만들 수 있어.

나무가 크네.

나무가 엄청 크네.

엄청 큰 나무가 많이 있네.

＊언어의 보편적인 특성을 이해하면 국어의 특성을 이해하는 데 도움이 돼요.

개념 01 언어의 의미와 말소리

- 언어의 구성 요소: 언어는 ❶[   ]과 형식으로 이루어져 있음.

내용	한 단어가 가리키는 의미
형식	그 단어를 표현하는 ❷[ ]

> 교과서 예
>
> '사과'라는 말은 '🍎'라는 의미와 그 의미를 나타내는 [사과]라는 말소리가 결합한 것임.

답 ❶ 내용 ❷ 말소리

확인 01 다음에 해당하는 언어의 구성 요소를 쓰시오.

(1) [사과] → 언어의 (   )
(2) 🍎(사과나무의 열매) → 언어의 (   )

개념 02 언어의 본질 ① - 자의성

- 언어의 자의성: 언어의 의미(내용)와 말소리(형식)는 ❶[   ]적으로 결합한 것이 아니라 우연히 그렇게 맺어진 것임.

> 교과서 예
>
> '🌳'라는 의미의 말을 한국어로는 '나무[나무]', 영어로는 'tree[트리]', 일본어로는 'き[기]'라고 함.
>
> ⬇
>
> '🌳'라는 의미를 표현하는 각 나라의 ❷[   ]가 서로 다르다는 점에서, 언어의 의미와 말소리의 관계가 우연히 그렇게 맺어진 것임을 알 수 있음.
> 자의적

답 ❶ 필연 ❷ 말소리

확인 02 다음 문장의 괄호 안에서 알맞은 말을 고르시오.

언어의 의미와 말소리의 관계는 자의적이므로 같은 의미를 나타내는 말소리가 언어마다 (같게, 다르게) 나타난다.

개념 03 국어 생활 속에 나타난 언어의 자의성

- 소행성에 이름을 붙인 사례

> 교과서 예
>
>
> 새로운 소행성을 발견했을 때 이를 발견한 사람이나 주체가 '통일', '장영실' 등과 같이 자의적으로 소행성의 ❶[   ]을 지을 수 있음.
>
> ⬇
>
> 소행성 자체와 소행성을 가리키는 ❷[   ] 사이에는 필연적인 관계가 없음.

답 ❶ 이름 ❷ 말소리

확인 03 다음 내용과 관련 있는 언어의 본질을 쓰시오.

'얼굴'이라는 말소리와 그 의미가 필연적이라면, '낯', '안면'과 같이 '얼굴'과 의미가 유사한 단어가 존재할 수 없다.

개념 04 언어의 본질 ② - 사회성

- 언어의 사회성: 언어는 사회적 ❶[   ]이므로 어느 한 개인이 마음대로 바꿀 수 없음.

> 교과서 예
>
> 한국에서 '주스'를 '휴대 전화'라고 바꾸어 부르면 ❷[   ]하는 데 문제가 생김.
>
>

답 ❶ 약속 ❷ 의사소통

확인 04 다음 문장의 괄호 안에서 알맞은 말을 고르시오.

언어는 어느 한 개인이 마음대로 바꿀 수 (있다, 없다).

개념 05 언어의 본질 ③ – 역사성

• **언어의 역사성**: 언어는 ❶ [　　　]의 흐름에 따라 쓰이던 말이 쓰이지 않게 되어 사라지거나, 의미나 말소리가 변하거나, 없던 말이 생기기도 함.

교과서 예

사라진 말	예 온 → 백(百), 즈믄 → 천(千), 슈룹 → 우산, 미르 → 용(龍)
의미가 변한 말	예 '어여쁘다'(불쌍하다 → 예쁘다), '어리다'(어리석다 → 나이가 적다)
말소리가 변한 말	예 곶 → 꽃, 나모 → ❷ [　　　]
새로 생긴 말	예 댓글, 블로그, 인공 지능, 누리꾼

답 ❶ 시간 ❷ 나무

확인 05 다음 단어가 변화한 양상을 바르게 연결하시오.

(1) 어리다　　•　　　　•㉠ 사라진 말

(2) 뫼, 즈믄　•　　　　•㉡ 새로 생긴 말

(3) 댓글, 스마트폰 •　　•㉢ 의미가 변한 말

개념 06 국어 생활 속에 나타난 언어의 사회성과 역사성

• **표준어로 인정받은 단어 '짜장면'**

교과서 예

원래 표준어는 '자장면'이지만, 사람들이 실생활에서 '짜장면'이라는 단어를 많이 사용해서 '짜장면'이 ❶ [　　　]로 인정됨.

⬇

기존에는 표준어가 아니었던 '짜장면'이 표준어로 인정받은 것을 통해 새로운 사회적 ❷ [　　　]이 맺어졌다는 것과 시간이 지남에 따라 언어가 변화한다는 점을 알 수 있음.

답 ❶ 표준어 ❷ 약속

확인 06 다음 대화가 원활하게 이루어지지 않은 이유와 관련 있는 언어의 특성을 쓰시오.

아들: (난 오늘부터 '학교'를 '책상'이라고 해야지.) 엄마, 책상에 다녀오겠습니다.

엄마: 뭐라고? 어딜 간다고?

개념 07 언어의 본질 ④ – 창조성

• **언어의 창조성**: 인간은 이미 알고 있는 언어를 바탕으로 새로운 ❶ [　　　]나 문장을 무한히 만들어 낼 수 있음.

교과서 예

• '쫄면', '순대', '떡볶이'를 모두 한 번에 먹을 수 있는 메뉴의 이름을 '쫄순이'라고 지음.

• '청소'와 '시작'이라는 단어를 활용하여 '이제 청소를 시작할까요?', '이제부터 청소 시작!' 등의 새로운 ❷ [　　　]을 무한하게 만들 수 있음.

답 ❶ 단어 ❷ 문장

확인 07 다음 문장의 괄호 안에서 알맞은 말을 고르시오.

인간은 이미 알고 있는 단어를 활용하여 무수히 많은 문장을 만들어 낼 수 (있다, 없다).

개념 08 국어 생활 속에 나타난 언어의 창조성

• **'스타일리스트'를 다듬은 우리말**

교과서 예

'스타일리스트'를 대신할 우리말을 정하기 위해 누리꾼들이 '맵시가꿈이', '멋지기', '멋도우미' 등 다양한 말을 제안함.

⬇

이미 알고 있는 '❶ [　　　]', '가꾸다', '멋', '도우미' 등의 단어를 바탕으로 새로운 ❷ [　　　]를 만들어 냄.

답 ❶ 맵시 ❷ 단어

확인 08 다음 내용에서 알 수 있는 언어의 특성을 쓰시오.

'우유 마시자.'와 '수박 먹고 싶어요.'라는 각각의 문장을 배운 아이가 '우유 먹고 싶어요.'와 같이 배운 적이 없는 새로운 문장을 만들어 낸다.

01 다음 ㉠~㉢에 들어갈 적절한 말을 쓰시오.

> (㉠)은/는 의사 전달의 기본적인 도구로, 음성이나 문자로 생각이나 느낌을 표현하는 수단과 체계이며, 내용과 형식으로 이루어져 있다. 단어가 가리키는 (㉡)은/는 언어의 내용이고, 단어의 (㉢)은/는 언어의 형식이다.

• ㉠: _____   • ㉡: _____   • ㉢: _____

문제 해결 전략

• 언어는 의사를 전달하는 기능을 하며, 일정한 내용을 일정한 형식으로 나타낼 수 있다. 단어가 가리키는 의미는 언어의 ❶□□이고, 단어의 말소리는 언어의 ❷□□이다.

답 ❶ 내용 ❷ 형식

02 다음 설명과 관련 있는 언어의 본질을 〈보기〉에서 찾아 쓰시오.

> ┌ 보기 ┐
> ㉠ 언어의 사회성   ㉡ 언어의 창조성
> ㉢ 언어의 자의성   ㉣ 언어의 역사성

(1) 언어는 시간의 흐름에 따라 끊임없이 변화한다. ( )
(2) 언어의 의미와 말소리 사이에는 필연적인 관계가 없다. ( )
(3) 언어는 그 언어를 사용하는 사람들 사이의 사회적 약속이다. ( )
(4) 인간은 이미 알고 있는 언어를 바탕으로 새로운 단어나 문장을 무한히 만들어 낼 수 있다. ( )

문제 해결 전략

• 지구상에 존재하는 언어들에는 공통된 ❶□□이 있는데, 이를 언어의 본질이라고 한다. 언어의 본질을 잘 알면 우리 국어와 같은 개별 ❷□□를 더 잘 이해할 수 있다.

답 ❶ 특성 ❷ 언어

03 〈보기〉에서 알 수 있는 언어의 본질로 적절한 것은?

> ┌ 보기 ┐
>
> • 한국어: 돼지[돼ː지]
> • 영어: pig[피그]
> • 일본어: ぶた[부타]
> • 독일어: Schwein[슈바인]

① 언어의 규칙성   ② 언어의 자의성   ③ 언어의 사회성
④ 언어의 역사성   ⑤ 언어의 창조성

문제 해결 전략

• 같은 의미를 나타내는 말소리가 언어별로 다르다는 점에서 언어의 의미와 말소리는 ❶□□으로 결합한 것이 아니라 우연히 그렇게 맺어진 것임을 알 수 있다. 이를 언어의 ❷□□이라고 한다.

답 ❶ 필연적 ❷ 자의성

04 다음 상황과 관련된 언어의 본질에 대한 설명으로 적절한 것은?

① 언어는 사회적 약속이다.
② 언어에는 일정한 규칙이 있다.
③ 새로운 언어가 생겨나기도 한다.
④ 언어는 시간의 흐름에 따라 변한다.
⑤ 언어의 의미와 말소리의 관계는 필연적이지 않다.

문제 해결 전략

• 언어는 사회적 약속이기 때문에 한 개인이 마음대로 바꿀 수 없으며 이를 언어의 **❶** 이라고 한다.
• 사회적 **❷** 을 지키지 않으면 사람들과 의사소통하는 데 어려움을 겪게 된다.

답 ❶ 사회성 ❷ 약속

---

05 다음 중 언어의 역사성을 보여 주는 예로 적절하지 <u>않은</u> 것은?

① '복숭아'는 과거에 '복셩화'로 불렸다.
② '불휘'를 오늘날에는 '뿌리'라고 부른다.
③ '누리꾼', '스마트폰' 등의 새로운 말이 생겨났다.
④ '미르', '즈믄', '슈룹' 등의 말은 더 이상 쓰이지 않는다.
⑤ '고맙다'라는 의미를 나타내는 말소리가 언어마다 다르다.

문제 해결 전략

• 시간의 흐름에 따라 쓰이던 **❶** 이 사라지거나, **❷** 나 말소리가 변하거나, 없던 말이 생기기도 하는데, 이를 언어의 역사성이라고 한다.

답 ❶ 말 ❷ 의미

---

06 〈보기〉를 통해 알 수 있는 언어의 본질을 쓰시오.

┤ 보기 ├

선생님: '하늘'과 '구름'이라는 단어를 활용하여 다양한 문장을 자유롭게 만들어 볼까요?
학생 1: 하늘에 하얀 구름이 떠 있어요.
학생 2: 파란 하늘에 하얀 구름이 떠가네요.
학생 3: 하늘에 떠 있는 구름은 마치 솜사탕 같아요.

문제 해결 전략

• 인간은 기존에 알고 있는 단어를 바탕으로 새로운 **❶** 를 만들 수 있고, 단어들을 결합해 무수히 많은 **❷** 을 만들 수 있는데, 이를 언어의 창조성이라고 한다.

답 ❶ 단어 ❷ 문장

07 다음 그림을 통해 알 수 있는 언어의 본질을 〈보기〉에서 찾아 쓰시오.

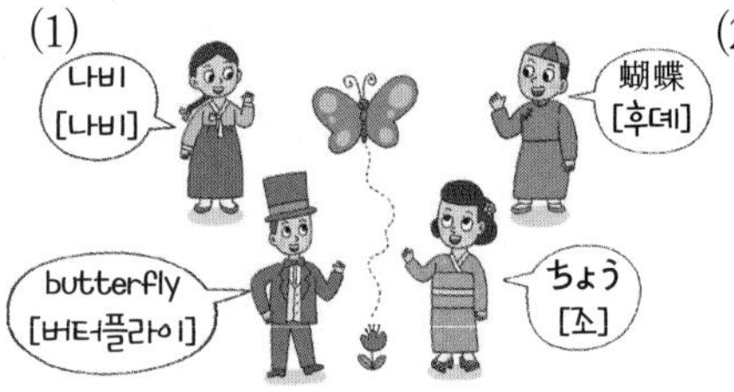

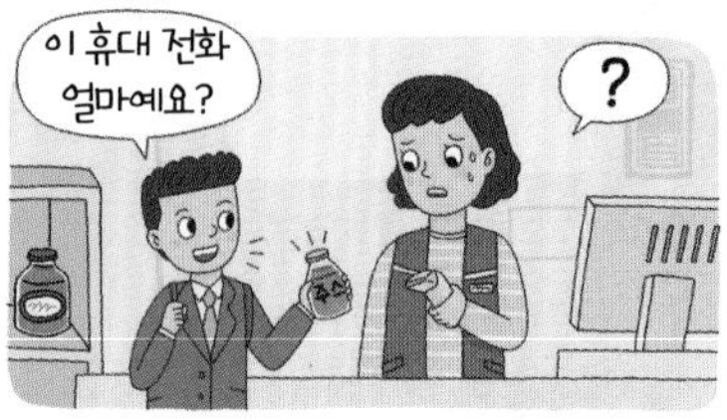

(1)
나비
[나비]

蝴蝶
[후뎨]

butterfly
[버터플라이]

ちょう
[쇼]

(2)
이 휴대 전화
얼마예요?

?

┤ 보기 ├
언어의 사회성	언어의 창조성
언어의 자의성	언어의 역사성

(1): _____ (2): _____

08 〈보기〉에서 설명하는 언어의 본질을 뒷받침하는 예로 적절한 것은?

┤ 보기 ├
　쓰이던 말이 쓰이지 않게 되어 사라지거나, 없던 말이 생기거나, 의미나 말소리가 변하는 등 언어는 시간의 흐름에 따라 변한다.

① '강아지'를 가리키는 말소리가 언어마다 서로 다르다.
② '꽃', '나무'라는 단어를 활용하여 수많은 문장을 만들 수 있다.
③ 요즘 유행하는 단어가 표준어가 되기 위해서는 사회적 약속을 통해 인정받아야 한다.
④ 혼자서 '수박'을 '수세미'라고 부르면, 시장에서 수박을 사는 데 어려움을 겪을 수 있다.
⑤ 중세 국어에서는 '어여쁘다'가 '불쌍하다'라는 뜻이었지만, 지금은 '예쁘다'라는 뜻이다.

09 〈보기〉에서 언어의 창조성을 뒷받침하는 예를 모두 고르시오.

┤ 보기 ├
㉠ 버섯불고기를 넣은 김밥에 '버불김밥'이라는 이름을 붙였다.
㉡ '하늘'과 '구름'이라는 단어를 활용하여 많은 문장을 만들 수 있다.
㉢ '🌳'를 한국어에서는 '나무[나무]', 영어에서는 'tree[트리]'라고 한다.
㉣ 백(百)을 뜻하는 '온'과 천(千)을 뜻하는 '즈믄'은 지금은 쓰이지 않는다.

>> 정답과 해설 4쪽

10 〈보기〉의 ㉠, ㉡에 공통적으로 나타난 언어의 본질을 쓰시오.

> ─ 보기 ─
> ㉠ 우리나라 사람으로는 처음으로 소행성을 발견한 천문학자는 그가 발견한 소행성에 '통일'이라는 이름을 붙였다.
> ㉡ '얼굴'이라는 말소리와 그 의미가 필연적이라면, '낯', '안면'과 같은 '얼굴'과 의미가 유사한 단어가 존재할 수 없을 것이다.

문제 해결 전략

• 소행성의 의미와 소행성을 가리키는 말소리 사이에는 ❶ 인 관계가 없으므로 언어의 자의성과 관련 있다.
• 언어의 의미와 말소리의 관계가 자의적이기 때문에 말소리는 다르지만 의미가 유사한 단어가 존재할 수 있다. 이는 언어의 ❷ 과 관련 있다.

답 ❶ 필연적 ❷ 자의성

11 다음 설명과 관련 있는 언어의 본질로 적절한 것은? (정답 2개)

> 방송인 정도만 '자장면'이라고 발음하는 '짜장면'이 마침내 표준어가 됐다. 국립국어원은 국민 실생활에서 많이 사용하지만 표준어 대접을 받지 못한 '짜장면'과 '먹거리'를 비롯한 서른아홉 개 단어를 표준어로 인정하고 이를 인터넷 '표준국어대사전'에 반영했다고 31일 밝혔다.
> – 《연합뉴스》, 2011년 8월 31일 자

① 언어의 규칙성 ② 언어의 자의성 ③ 언어의 사회성
④ 언어의 역사성 ⑤ 언어의 창조성

문제 해결 전략

• '짜장면'을 ❶ 로 인정한다는 사회적 약속을 새롭게 맺은 것은 언어의 사회성과 관련 있다.
• 표준어가 아니었던 '짜장면'이 표준어로 인정받은 것은 ❷ 이 흐름에 따라 언어가 변화한다는 점을 고려한 결과이므로 언어의 역사성과도 관련이 있다.

답 ❶ 표준어 ❷ 시간

12 〈보기〉를 통해 알 수 있는 언어의 본질에 대한 설명으로 적절한 것은?

> ─ 보기 ─
> '매미', '울다', '시끄럽다'라는 단어를 알고 있는 세 살짜리 아이가 '매미가 울어요.', '매미가 시끄러워요.', '매미가 시끄럽게 울어요.' 등의 다양한 문장을 만들어 낸다.

① 언어는 시간이 흐르면 조금씩 변한다.
② 언어는 개인의 마음대로 바꿀 수 없다.
③ 쓰이지 않는 단어는 자연적으로 사라진다.
④ 언어의 의미와 말소리의 관계는 필연적이지 않다.
⑤ 인간은 이미 알고 있는 단어를 결합해 무수히 많은 문장을 만들 수 있다.

문제 해결 전략

• 어린아이가 기존에 알고 있던 단어들을 결합하여 새로운 ❶ 을 끊임없이 만들어 낼 수 있는 것은 언어의 ❷ 과 관련 있다.

답 ❶ 문장 ❷ 창조성

대표 유형 ❶ 언어의 본질 이해하기

1 언어의 본질에 대한 설명으로 적절하지 <u>않은</u> 것은?

① 언어의 의미와 말소리의 관계는 필연적이다.

② 언어는 시간의 흐름에 따라 없던 말이 생기기도 한다.

③ 언어는 시간의 흐름에 따라 말소리나 의미가 변하기도 한다.

④ 언어는 그 언어를 사용하는 사람들 사이의 사회적 약속이다.

⑤ 인간은 이미 알고 있는 언어를 바탕으로 새로운 단어나 문장을 무한히 만들어 낼 수 있다.

유형 해결 전략

언어의 내용은 한 단어가 가리키는 ❶ [ ]를, 언어의 형식은 그 단어를 표현하는 ❷ [ ]를 뜻하며, 언어의 의미와 말소리 사이에는 필연적인 관계가 없다.

답 ❶ 의미 ❷ 말소리

1-1 다음 중 언어의 본질과 관련된 설명으로 적절한 것은?

① 개인이 '고양이'를 마음대로 '사자'로 바꾸어 부를 수 없는 것은 언어의 창조성과 관련이 있다.

② '🍎'를 모든 나라에서 [사과]라고 똑같이 발음한다는 점에서 언어의 자의성을 확인할 수 있다.

③ 인간이 새로운 단어나 문장을 계속해서 만들어 낼 수 있는 것은 언어의 사회성과 관련이 있다.

④ 언어는 사회적 약속이지만 시간의 흐름에 따라 변화한다는 것은 언어의 역사성과 관련이 있다.

⑤ 같은 대상을 가리키는 단어도 시간이 지나면 말소리가 달라진다는 점에서 언어의 사회성을 확인할 수 있다.

대표 유형 ❷ 언어의 자의성 이해하기

2 다음 질문에 대한 답과 관련 있는 언어의 본질로 적절한 것은?

> • 한국어: 나비[나비]
> • 영어: butterfly[버터플라이]
> • 중국어: 蝴蝶[후뎨]
> → 왜 '나비'를 가리키는 말이 언어마다 다를까?

① 언어의 자의성　　② 언어의 사회성

③ 언어의 역사성　　④ 언어의 창조성

⑤ 언어의 규칙성

유형 해결 전략

같은 의미를 표현하는 ❶ [ ]가 언어별로 서로 다른 것은 언어의 의미와 말소리의 관계가 필연적이지 않기 때문이며, 이는 언어의 ❷ [ ]과 관련이 있다.

답 ❶ 말소리 ❷ 자의성

2-1 다음 상황에 대한 설명으로 적절하지 <u>않은</u> 것은?

① '수박', '시과', '워터멜론'은 모두 같은 대상을 가리킨다.

② '수박'을 어느 나라에서나 '수박'이라고 부르지는 않는다.

③ '수박'과 수박을 가리키는 말소리 사이의 관계는 자의적이다.

④ 같은 의미를 나타내는 말소리가 각 언어마다 다르게 나타난다.

⑤ 시간이 흐르면서 같은 대상을 가리키는 말이 '시과', '수박', '워터멜론' 등으로 변한 것이다.

대표 유형 ❸ 언어의 사회성 이해하기

3 다음 중 언어의 사회성을 설명할 수 있는 예로 적절한 것은?

① '어여쁘다'는 과거에 '불쌍하다'라는 뜻으로 쓰였다.

② '강'을 '다다'라고 부르면 의사소통에 문제가 생긴다.

③ 우리가 '강아지'라고 부르는 것을 중국에서는 '샤오거우'라고 한다.

④ '나무'를 영어로는 'tree[트리]', 독일어로는 'Baum[바움]'이라고 한다.

⑤ '스마트폰'은 기술의 발달로 등장한 새로운 사물을 가리키기 위해 새로 만든 말이다.

유형 해결 전략

언어는 ❶◻◻◻적인 약속이기 때문에 그 언어를 사용하는 사람들 사이에서 정해진 언어를 ❷◻◻이 마음대로 바꾸어 쓸 수 없다.

답 ❶ 사회 ❷ 개인

3-1 ㉠～㉣ 중, 다음 질문에 대한 답으로 적절한 것을 모두 골라 쓰시오.

> **질문이 있어요!**
>
> 저는 딸기를 '차차'라고 부르고 싶은데 왜 '딸기'로만 불러야 할까요?
>
> ↳ ㉠ 언어는 시간의 흐름에 따라 변하니까 '딸기'를 '차차'라고 불러도 돼요.
>
> ↳ ㉡ 만약 '딸기'를 '차차'라고 부른다면 다른 사람들은 알아들을 수 없을 거예요.
>
> ↳ ㉢ 언어의 의미와 말소리는 필연적인 관계이므로 '딸기'는 꼭 '딸기'라고 불러야 해요.
>
> ↳ ㉣ '딸기'를 '딸기'라고 부르는 것은 우리나라 사람들 사이의 약속이기 때문에 반드시 지켜야 해요.

대표 유형 ❹ 언어의 역사성 이해하기

4 다음 중 언어의 역사성을 뒷받침하는 예로 적절하지 <u>않</u>은 것은?

① 예전에는 '우산'을 '슈룹'이라고 불렀다.

② 과거에는 '어리다'가 '어리석다'라는 뜻으로 쓰였다.

③ '인공위성'은 조선 시대에는 없었으나 새로 생긴 말이다.

④ 한국에서 '나비'라고 하는 것을 일본에서는 '조'라고 부른다.

⑤ 현대에 '나무'라고 부르는 사물을 예전에는 '나모'라고 불렀다.

유형 해결 전략

시간의 흐름에 따라 쓰이던 말이 쓰이지 않게 되어 사라지거나, 의미나 ❶◻◻◻가 변하거나, 없던 말이 생기기도 하는데 이를 언어의 ❷◻◻◻이라고 한다.

답 ❶ 말소리 ❷ 역사성

4-1 다음 대화에 관한 설명으로 적절한 것은?

> 지현: 너 옛날에는 '수박'을 뭐라고 했는지 알아?
>
> 규민: '수바'이 '수바'이었겠지.
>
> 지현: 이 책을 봐.
>
>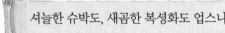
> 셔늘한 슈박도, 새곰한 복셩화도 업스니
>
> 규민: '슈박'이 '수박'인 건 알겠는데, '복셩화'는 뭐야?
>
> 지현: '복셩화'가 '복숑와'가 되었다가 지금처럼 '복숭아'로 바뀐 거래.

① '수박'과 '복숭아'는 의미가 변한 말이다.

② '슈박'은 과거에 쓰다가 지금은 사라진 말이다.

③ '수박'과 '복숭아'를 서로 바꾸어 불러도 상관없다.

④ '복숭아'라는 사물이 생겨남에 따라 새로운 단어가 만들어졌다.

⑤ 시간의 흐름에 따라 같은 대상을 부르는 말소리가 달라지기도 한다.

01 언어의 본질에 대한 설명으로 적절하지 <u>않은</u> 것은?

① 언어의 의미와 말소리의 관계가 필연적이지 않은 것을 언어의 자의성이라고 한다.

② 언어의 사회성은 언어가 그 언어를 사용하는 사람들 사이의 사회적 약속임을 뜻한다.

③ 언어마다 같은 대상을 표현하는 말소리가 다른 것은 언어의 자의성으로 설명할 수 있다.

④ 한 개인이 특정한 의미를 나타내는 말소리에 마음대로 새로운 이름을 붙이는 것은 언어의 창조성과 관련 있다.

⑤ 시간의 흐름에 따라 말이 새로 생기거나 사라지거나 의미나 말소리가 변하는 특성을 언어의 역사성이라고 한다.

02 다음 자료가 공통적으로 나타내는 의미를 한국어에서는 어떻게 부르는지 쓰고, 이와 관련된 언어의 본질을 쓰시오.

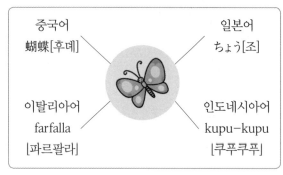

중국어 蝴蝶[후뎨]
일본어 ちょう[조]
이탈리아어 farfalla [파르팔라]
인도네시아어 kupu-kupu [쿠푸쿠푸]

(1) 한국어로 부르는 말: _____

(2) 관련된 언어의 본질: _____

도움말

만약 언어의 의미와 말소리의 관계가 ❶ _____ 이라면 전 세계의 언어가 모두 동일할 거야. '나비'를 나타내는 말이 언어별로 다른 것은 언어의 ❷ _____ 과 관련 있어.

답 ❶ 필연적 ❷ 자의성

03 ㄱ~ㅁ에 들어갈 단어로 적절하지 <u>않은</u> 것은?

언어	한국어	영어	중국어	일본어
단어와 말소리	손[손]	hand [핸드]	手[서우]	て[데]

↓

같은 (ㄱ)을/를 나타내는 말소리가 언어별로 다르게 나타나는 것은 언어의 (ㄴ)와/과 (ㄷ)의 관계가 (ㄹ)(이)지 않기 때문이다. 즉 어떤 의미를 나타내는 말소리는 우연히 결정된 것인데, 이와 관련 있는 언어의 본질을 언어의 (ㅁ)(이)라고 한다.

① ㄱ: 대상 ② ㄴ: 의미

③ ㄷ: 모양 ④ ㄹ: 필연적

⑤ ㅁ: 자의성

04 다음 상황에 대한 설명으로 적절한 것은?

① '몽미'는 최근에 새로 만들어진 말이다.

② '수박'은 원래 '수박' 혹은 '몽미'라고도 부른다.

③ 가게 주인은 새로 생긴 '몽미'라는 과일을 모른다.

④ '수박'을 '수박'이라고 부르는 것은 사회적 약속인데 성호가 이를 어기고 있다.

⑤ 언어의 의미와 말소리의 관계는 자의적이므로 '수박'을 '몽미'라고 불러도 된다.

05 ⓐ~ⓓ 중, 언어의 자의성에 대한 설명으로 적절한 것을 모두 골라 쓰시오.

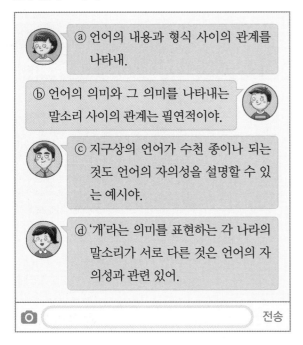

ⓐ 언어의 내용과 형식 사이의 관계를 나타내.

ⓑ 언어의 의미와 그 의미를 나타내는 말소리 사이의 관계는 필연적이야.

ⓒ 지구상의 언어가 수천 종이나 되는 것도 언어의 자의성을 설명할 수 있는 예시야.

ⓓ '개'라는 의미를 표현하는 각 나라의 말소리가 서로 다른 것은 언어의 자의성과 관련 있어.

📷 _____ 전송

06 다음 대화에서 오늘날에 쓰이지 않는 말을 찾고, 그와 관련된 언어의 본질을 쓰시오.

시희: 와, 오늘따라 밤하늘에 별이 정말 선명하게 보이네.
우영: 그러게. 즈믄 개도 넘을 것 같아.
서희: '즈믄'이 뭐야?
우영: 아, 어제 사극 드라마에서 봤는데 옛날에는 '천(千)'을 그렇게 불렀었나 봐.
서희: 그렇구나. 언어도 시간에 따라 변하는구나. 정말 별이 천 개도 넘을 정도로 많이 보여!

(1) 오늘날에 쓰이지 않는 말: _____

(2) 관련된 언어의 본질: _____

도움말

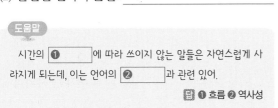

시간의 ❶ [   ]에 따라 쓰이지 않는 말들은 자연스럽게 사라지게 되는데, 이는 언어의 ❷ [   ]과 관련 있어.

📖 ❶ 흐름 ❷ 역사성

07 다음 중 제시된 대화의 ㉠과 비슷한 예가 아닌 것은?

㉠나는 이제부터 '눈'을 '코'라고 할 거야. 모두 코 감아!

코를 어떻게 감니?

① 나는 '토마토'를 '마토마'라고 바꿔 부를래.
② 나는 앞으로 '농장'을 '수영장'이라고 부를 거야.
③ 지금부터 우리 집 강아지 이름을 '토토'라고 하자.
④ 나는 이제부터 '하늘'을 '팡팡'이라고 부르려고 해.
⑤ 내 동생은 '책상'을 '의자'라고 하고, '의자'를 '책상'이라고 부르기로 했대.

08 다음 표를 통해 알 수 있는 사실로 적절하지 않은 것은?

기존의 표준어	추가된 복수 표준어
냄새	내음
자장면	짜장면
괴발개발	개발새발

① 표준어가 아니었던 '내음'이 표준어로 인정받게 되었다.
② 일상생활에서 '자장면'과 '짜장면'을 모두 사용해도 문제가 없다.
③ 현재는 표준어가 아닌 말이 시간이 지나면서 표준어로 인정받을 수도 있다.
④ 앞으로는 기존의 표준어를 사용하면 안 되므로 '개발새발'만 사용해야 한다.
⑤ 복수 표준어를 추가한 것은 사회적 약속을 새로 맺은 것이므로 언어의 사회성과 관련 있다.

09 〈보기〉에서 알 수 있는 언어의 본질에 관한 설명으로 적절한 것은?

┌ 보기 ┐
- '꽃'은 예전에 '곶'이라고 불렸다.
- '놈'은 일반적인 사람을 부르는 말에서 남자를 낮추어 부르는 말로 그 의미가 변했다.

① 언어는 사람들 사이의 약속이다.
② 언어는 시간의 흐름에 따라 끊임없이 변화한다.
③ 하나의 의미를 표현하는 말소리는 여러 가지이다.
④ 언어는 개인의 의지에 따라 언제든지 바뀔 수 있다.
⑤ 언어의 내용과 형식은 우연히 그렇게 맺어진 것이다.

도움말

언어는 시간의 흐름에 따라 ❶ [   ] 나 말소리가 변하기도 하는데, 이는 언어의 ❷ [   ] 과 관련이 있어.

답 ❶ 의미 ❷ 역사성

10 시간의 흐름에 따라 언어가 변화한 양상과 그 예를 <u>잘못</u> 짝지은 것은?

사라진 말	• '누리꾼'은 사이버 공간에서 활동하는 사람을 가리키는 말로, 인터넷이 보급되며 생겨났다. ─────────①
	• '방갓'은 예전에 주로 상제가 밖에 나갈 때 쓰던 큰 갓을 이르는 말인데, 지금은 거의 쓰이지 않는다. ─────②
의미나 말소리가 변한 말	• 조선 시대에는 '나모'라고 부르던 대상을 지금은 '나무'라고 부른다. ──────③
	• 중세 국어에서는 '어여쁘다'가 '불쌍하다'라는 뜻으로 쓰였으나 지금은 '예쁘다'라는 뜻으로 쓰인다. ──────④
새로 생긴 말	• 지도를 보이거나 길을 찾아 주어 자동차 운전을 도와주는 장치가 개발되어 그것을 '내비게이션'이라고 부른다. ─⑤

11 〈보기〉에 나타난 언어의 본질을 〈조건〉에 맞게 서술하시오.

┌ 보기 ┐

'여름'이로구나.

'열매'가 열렸네.

┌ 조건 ┐
1. '여름'과 '열매'라는 단어를 활용하여 쓸 것
2. '……는 예시를 통해 ……을 확인할 수 있다.'의 형식으로 쓸 것

12 다음 대화의 ㉠, ㉡과 관련된 언어의 본질을 각각 쓰시오.

정윤: 동그라미 그리려다 무심코 그린 다리…….
아빠: '다리'? 그 노래 가사는 '얼굴'이 맞지 않니?
정윤: 저는 이제부터 '얼굴'을 '다리'라고 부르기로 했어요.
아빠: ㉠우리나라 사람들은 '얼굴'을 '얼굴'이라고 부르기로 약속했기 때문에, 그렇게 마음대로 바꾸어 부르면 안 돼.
정윤: 저는 그런 약속을 한 적이 없는걸요. 그리고 어차피 언어의 의미와 말소리의 관계는 자의적이잖아요.
아빠: ㉡처음에는 '얼굴'의 의미와 그 말소리인 [얼굴]이 자의적으로 결합되었지만, 그 말이 사회 전체에 널리 쓰이면 개인이 함부로 바꿀 수 없어.

• ㉠: _____   • ㉡: _____

13 〈보기〉에 대한 설명으로 적절하지 <u>않은</u> 것은?

① '고마워!'를 나타내는 다양한 말소리가 나타난다.

② '고마워!'를 나타내는 말소리가 다양한 것에서 언어의 역사성을 확인할 수 있다.

③ '고마워!'라는 언어적 내용과 형식 사이에 필연적 관계가 존재하지 않음을 알 수 있다.

④ 각 언어를 사용하는 사람들끼리 '고마워!'를 〈보기〉와 같이 나타내기로 사회적 약속을 했다.

⑤ 한국어를 쓰는 사람이 갑자기 '고마워!'를 '초코해!'라고 바꾸어 쓰면 의사소통에 문제가 생긴다.

14 다음은 언어의 본질을 학습한 뒤 정리한 내용이다. 빈칸에 들어갈 알맞은 내용을 〈조건〉에 맞게 쓰시오.

- 언어의 자의성: 언어의 의미와 말소리의 관계는 필연적이지 않다.
- 언어의 사회성: 언어는 그 언어를 사용하는 사람들 사이의 사회적 약속이므로 개인이 마음대로 바꿀 수 없다.
- 언어의 역사성: 언어는 (   ).
- 언어의 창조성: 인간은 이미 알고 있는 단어를 바탕으로 새로운 단어나 문장을 무한히 만들어 낼 수 있다.

┤ 조건 ├
1. '시간'과 '변화'라는 단어를 활용하여 쓸 것
2. 15자 내외로 쓸 것

15 〈보기〉와 관련 있는 언어의 본질을 쓰시오.

┤ 보기 ├
국어사전에 실린 단어는 우리가 약속하여 정한 말이야.

16 다음 글을 언어의 본질과 관련지어 설명한 내용으로 적절하지 <u>않은</u> 것은?

유민이는 말을 또래보다 빨리하는 편이었다. 유민이가 두 돌이 지났을 때, 좋아하는 캐릭터가 등장하는 만화 동영상을 보고 싶을 때마다 "차르릉, 차르릉."이라고 말하기 시작했다.

가족들은 유민이가 "차르릉, 차르릉."이라고 할 때마다 특정 만화 영화를 틀어 달라고 말하는 것임을 이해했다.

하지만 친구들이나 다른 사람들이 유민이와 함께 시간을 보낼 때, 그들은 유민이가 "차르릉, 차르릉."이라고 하는 말의 뜻을 알아듣지 못했다.

시간이 흘러 유민이는 그렇게 말하면 다른 사람들은 알아듣지 못한다는 사실을 알게 되었다.

① 유민이는 '차르릉'이라는 말을 만들어서 사용했다.

② 다른 사람들은 만화 영화를 보고 싶을 때 '차르릉'이라는 말을 쓰지 않는다.

③ 유민이의 '차르릉'이라는 말을 친구들이 이해하지 못한 것은 언어의 사회성 때문이다.

④ 유민이가 표현하고자 한 의미와 '차르릉'이라는 말소리 사이에는 필연적인 관계가 없다.

⑤ 유민이가 '차르릉'이라고 말했을 때 가족들이 그 뜻을 이해한 것은 언어의 역사성과 관련이 있다.

도움말

유민이의 가족들은 '❶_____'이라는 말을 이해했지만 친구들이나 다른 사람들이 그 말을 이해하지 못한 것은 언어의 ❷_____과 관련 있어.

답 ❶ 차르릉 ❷ 사회성

대표 유형 ❶ 언어의 창조성 이해하기

1 언어의 창조성에 대한 설명으로 적절하지 <u>않은</u> 것은?

① '사람', '나무'라는 단어를 활용하여 다양한 문장을 만들 수 있다.

② 언어의 의미와 말소리의 필연적인 관계를 고려해서 새말을 만들어야 한다.

③ 새로운 사물이나 개념이 등장하더라도 새로운 단어를 얼마든지 만들어 낼 수 있다.

④ 버섯불고기를 넣은 김밥을 '버불김밥'이라고 하는 것은 언어의 창조성과 관련된 예이다.

⑤ 인간은 이미 알고 있는 언어를 바탕으로 새로운 단어나 문장을 무한히 만들어 낼 수 있다.

유형 해결 전략

인간은 이미 알고 있는 언어를 바탕으로 새로운 ❶[　　　]나 ❷[　　　]을 무한히 만들어 낼 수 있는데, 이러한 특성을 언어의 창조성이라고 한다.

📋 ❶ 단어 ❷ 문장

1-1 ㉠~㉢ 중, 언어의 창조성과 관련 있는 것은?

> 희진: 우아, 이 나무 참 멋지지 않니?
>
> 민혁: 그런데 ㉠'나무'는 왜 '나무'라고만 불러야 할까?
>
> 유경: 그러게. ㉡예전에는 '나모'라고 불렀다는데.
>
> 민혁: ㉢영어로는 'tree[트리]'라고 하잖아. 그런데 이 나무는 무슨 나무야?
>
> 희진: ㉣이 나무는 살구가 열리는 나무라서 '살구나무'고, 저건 무화과가 열리니까 '무화과나무'야.
>
> 유경: 그렇구나. ㉤그럼 만약 사탕이 열리는 나무가 있으면 '사탕나무'라고 부를 수도 있겠네?

① ㉠　　② ㉡　　③ ㉢　　④ ㉣　　⑤ ㉤

대표 유형 ❷ 언어의 사회성을 지켜야 하는 이유

2 ㉠과 ㉡에 들어갈 말을 바르게 짝지은 것은?

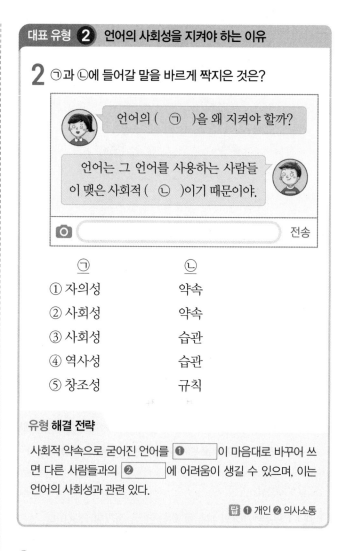

> 언어의 (㉠)을 왜 지켜야 할까?
>
> 언어는 그 언어를 사용하는 사람들이 맺은 사회적 (㉡)이기 때문이야.
>
> 📷 [　　　　　　　　　　　] 전송

	㉠	㉡
①	자의성	약속
②	사회성	약속
③	사회성	습관
④	역사성	습관
⑤	창조성	규칙

유형 해결 전략

사회적 약속으로 굳어진 언어를 ❶[　　　]이 마음대로 바꾸어 쓰면 다른 사람들과의 ❷[　　　]에 어려움이 생길 수 있으며, 이는 언어의 사회성과 관련 있다.

📋 ❶ 개인 ❷ 의사소통

2-1 다음 상황과 관련 있는 언어의 본질로 적절한 것은?

> 오늘 아침에 집을 나서다 생각해 보니 '사람이나 동물이 추위, 더위, 비바람 따위를 막고 그 속에 들어 살기 위하여 지은 건물'을 뜻하는 단어 '집'이라는 말이 마음에 들지 않았다. 그래서 내가 좋아하는 연예인 이름으로 바꿔서 불렀는데 아무도 알아듣지 못했다.

① 언어의 기호성　　② 언어의 자의성

③ 언어의 사회성　　④ 언어의 역사성

⑤ 언어의 창조성

대표 유형 ❸ 언어의 사회성과 역사성 적용하기

3 (가), (나)와 관련 있는 언어의 본질에 대한 설명으로 적절하지 않은 것은?

> ㉮ 실생활에서 많이 사용하지만 표준어 대접을 받지 못한 '짜장면'과 '먹거리'를 비롯한 서른아홉 개 단어가 표준어로 인정됐다.
> ㉯ "셔늘한 슈박도, 새곰한 복셩화도 업스니"를 현재 우리가 사용하고 있는 말로 바꾸면 "시원한 수박도 새콤한 복숭아도 없으니"가 된다.

① (가)는 표준어가 아니었던 단어들이 표준어로 인정받게 된 경우이다.

② (가)는 사람들이 새로운 사회적 약속을 맺은 것이므로 언어의 사회성과 관련 있다.

③ (나)의 '수박'과 '복숭아'는 시간의 흐름에 따라 말소리가 변한 것이다.

④ (나)에서 '슈박'이 '수박'으로, '복셩화'가 '복숭아'로 바뀐 것은 언어의 자의성과 관련 있다.

⑤ (가), (나)는 시간이 흐르면서 언어가 변화한 사례이므로 언어의 역사성과 관련 있다.

유형 해결 전략

언어는 사회적 ❶ ☐☐ 이지만 말소리가 변하는 등 시간에 흐름에 따라 끊임없이 변하므로 이를 고려하여 사회 구성원들끼리 새로운 약속을 맺어 ❷ ☐☐ 를 새로 정한다.

답 ❶ 약속 ❷ 표준어

3-1 다음 글과 관련 깊은 언어의 본질 두 가지를 쓰시오.

> 만약에 우리가 '칠판'을 '모모'라고 부르기로 약속하고 모든 사람이 그렇게 부른다면, '모모'가 표준어로 인정받아 국어사전에 실리게 될 것이다. 이처럼 국어사전에 있는 말은 우리가 만드는 것이고, 우리의 약속이 달라짐에 따라 그 말이 변하기도 한다.

대표 유형 ❹ 언어의 본질 구분하기

4 ㉠, ㉡과 관련 있는 언어의 본질을 바르게 짝지은 것은?

> 선생님이 닉이 던진 질문에 대답했다.
> "누가 개를 개라고 했느냐고? 네가 그런 거야, 니콜라스. ㉠너와 나와 이 반에 있는 아이들과 이 학교와 이 마을과 이 주와 이 나라의 모든 사람이. 우리 모두 그렇게 하자고 약속한 거야. ㉡여기가 프랑스라면 그 털북숭이 네발짐승은 다른 말로, '시엥'이라고 불렀을 거야. 우리말로는 '개'이지. 독일어로는 '훈트'이고. 이렇게 전 세계에 다른 말이 있어.
>
> – 앤드루 클레먼츠,《프린들 주세요》

	㉠	㉡
①	자의성	창조성
②	사회성	자의성
③	사회성	역사성
④	역사성	사회성
⑤	창조성	자의성

유형 해결 전략

언어는 그 언어를 사용하는 사람들 사이의 ❶ ☐☐ 이지만, 각 언어마다 같은 의미를 나타내는 말소리가 다른 것은 언어의 ❷ ☐☐ 과 형식은 서로 우연하게 결합하기 때문이다.

답 ❶ 약속 ❷ 내용

4-1 (가), (나)와 관련 있는 언어의 본질을 쓰시오.

> ㉮ '아이'와 '먹다'라는 단어를 활용하여 무수히 많은 문장을 만들어 낼 수 있다.
> ㉯ '영감'은 과거에는 벼슬의 이름을 이르던 말이었으나, 현대에는 나이가 많은 남자를 이르는 말로 바뀌었다.

· (가): _____ · (나): _____

01 〈보기〉에 대한 설명으로 적절하지 <u>않은</u> 것은?

> ┌ 보기 ┐
> 유경: '참마김밥'은 뭐고, '치치김밥'은 뭘까?
> 기찬: 메뉴판에 있는 사진을 보니까, 김밥에 들어가는 재료에 따라 김밥 이름을 붙인 것 같아.
> 유경: 아, '참마김밥'은 참치와 마요네즈를 넣은 김밥이고, '치치김밥'은 김치와 치즈를 넣은 김밥이구나. 버섯불고기를 넣은 '버불김밥'도 나오면 좋겠다.
> 기찬: 새로운 김밥이 나오더라도 새로운 이름을 얼마든지 만들 수 있어.

① 김밥 외의 다른 음식에는 새로운 이름을 붙이기 어렵다.
② '야채'와 '햄'을 넣은 김밥은 '야햄김밥'이라고 부를 수 있다.
③ '버불김밥'은 이미 알고 있는 단어를 바탕으로 새로운 단어를 만든 것이다.
④ '참마김밥'과 '치치김밥'은 김밥에 들어간 재료의 이름에서 글자를 따서 만든 것이다.
⑤ 새로운 김밥이 나올 때마다 새로운 이름을 붙일 수 있는 것은 언어의 창조성과 관련이 깊다.

02 다음 상황과 관련 있는 언어의 본질을 쓰시오.

> 선생님: 오늘은 '별'과 '달'이라는 단어를 활용하여 새로운 문장들을 만들어 봅시다.
> 희수: 별과 달은 밤하늘을 수놓은 보석입니다.
> 규진: 당신의 두 눈썹은 초승달이고 두 눈은 별입니다.
> 혜민: 보름달이 뜬 밤이면 별을 세며 네 이름을 불러 본다.
> 선생님: 동일한 단어를 활용하여 서로 다른 문장을 창의적으로 잘 만들었네요!

03 다음 만화에서 알 수 있는 언어의 본질에 대한 설명으로 적절한 것은?

① 언어는 시간의 흐름에 따라 변화한다.
② 언어는 내용과 형식으로 이루어져 있다.
③ 언어의 의미와 말소리는 자의적으로 결합한다.
④ 언어는 그 언어를 사용하는 사회 구성원 간의 약속이다.
⑤ 인간은 이미 알고 있는 언어를 바탕으로 새로운 단어나 문장을 무한히 만들어 낼 수 있다.

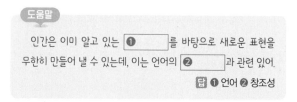

도움말

인간은 이미 알고 있는 ❶　　　　　를 바탕으로 새로운 표현을 무한히 만들어 낼 수 있는데, 이는 언어의 ❷　　　　　과 관련 있어.

답 ❶ 언어 ❷ 창조성

04 〈보기〉에서 알 수 있는 언어의 본질을 쓰시오.

> ┌ 보기 ┐
>
> '안녕'과 '가세요'라는 말을 배운 세 살짜리 아이가 '안녕히 가세요.'라는 말을 할 수 있다.

05 〈보기〉를 고려할 때, 문제가 되는 경우가 <u>아닌</u> 것은?

┌ 보기 ┐
언어는 사람들 사이의 약속이므로 개인이 함부로 그 약속을 깰 수 없다.
└─────────────────────┘

 ① 나는 '하늘'을 '나비'라고 부를 거야.

② 오늘부터 '수박'을 '사과'라고 부를래.

 ③ 이제 '친구'를 '키키'나 '하하'라고 부르려고.

 ④ 나는 '강아지'를 '고양이'라고 부르려고 해.

 ⑤ '자장면'을 복수 표준어인 '짜장면'으로 부를래.

📷 [   ] 전송

06 다음 대화와 관련 있는 언어의 본질로 알맞은 것은?

┌─────────────────────┐
동생: 누나, 들어올 때 '뿌뿌' 좀 사다 줘.
누나: '뿌뿌'? 그게 뭐야?
동생: 아이스크림이야.
누나: 아, '뿌뿌'라는 아이스크림이 새로 나왔어?
동생: 그건 아니고. 내가 아이스크림을 좋아해서 앞으로는 아이스크림을 '뿌뿌'라고 부르기로 했어.
└─────────────────────┘

① 언어의 자의성　　② 언어의 역사성

③ 언어의 사회성　　④ 언어의 창조성

⑤ 언어의 규칙성

도움말

동생이 '아이스크림'을 '아이스크림'이라고 부르기로 한 사회적 [❶]을 어기고 다른 말로 부르고 있어서 누나와의 의사소통에 [❷]가 발생했어.

답 ❶ 약속 ❷ 문제

07 ㉠~㉤ 중, 언어의 사회성에 어긋나는 것의 기호를 쓰시오.

┌─────────────────────┐
나는 어제 집에서 ㉠텔레비전으로 ㉡올림픽 경기를 시청했다. 우리나라 선수들이 참가한 종목의 ㉢결승전이 특히 재미있었다. 나는 ㉣대한민국 선수들이 반짝이는 메달을 따기를 바라는 마음으로 앞으로 '올림픽'을 ㉤'반짝픽'이라고 부르기로 했다. 하지만 주변 사람들 중 그 누구도 내 말을 이해하지 못해서 서운했다.
└─────────────────────┘

08 다음 대화에 나타난 언어의 본질을 바탕으로 빈칸에 들어갈 내용을 〈조건〉에 맞게 쓰시오.

┌─────────────────────┐
민석: 나는 오늘부터 '사랑'을 '샤샤'라고 부를래.
현정: 그러면 다른 사람들이 알아들을 수가 없잖아.
민석: 왜?
현정: '사랑'을 '사랑'이라고 하는 것은 한국어를 사용하는 사람들 사이의 약속이니까.
민석: 나는 아무하고도 그런 약속을 하지 않았는걸.
현정: 이건 개인 간의 약속이 아니라 사회적으로 굳어진 약속이야. 만약에 이 약속을 지키지 않으면, _____
_____.
└─────────────────────┘

┌ 조건 ┐
1. 약속을 지키지 않았을 때 생기는 문제점을 쓸 것
2. '의사소통'이라는 단어를 포함해서 30자 이내로 쓸 것
└─────────────────────┘

09 다음 상황에 대한 설명으로 적절하지 <u>않은</u> 것은?

① '슈룹'은 현재의 '우산'을 의미한다.
② 선비와 주희가 이해한 '어리구나'의 의미는 같다.
③ 주희가 '슈룹'과 '나모'라는 말을 현대에서 쓴다면 의사소통에 문제가 생길 수 있다.
④ 같은 대상을 가리키는 말이 '나모'에서 '나무'로 바뀐 것은 언어의 역사성과 관련이 있다.
⑤ 선비가 '스마트폰'이라는 단어를 이해하지 못한 것은 그것이 조선 시대에는 없던 말이기 때문이다.

10 다음의 대화와 관련 깊은 언어의 본질을 쓰시오.

> 주하: '무우'가 맞아, '무'가 맞아?
> 민형: 예전에는 '무우'가 표준어였는데, 지금은 '무'가 표준어야.

도움말

과거에는 '❶____'가 표준어였으나 현재는 사람들이 더 널리 사용하는 '무'가 표준어가 된 것은 언어의 ❷____과 관련 있어.

답 ❶ 무우 ❷ 역사성

[11~12] 다음 글을 읽고, 물음에 답하시오.

'짜장면', 표준어 됐다

국립국어원, '먹거리' 등 서른아홉 개 단어 표준어 인정

방송인 정도만 '자장면'이라고 발음하는 '짜장면'이 마침내 표준어가 됐다. 국립국어원은 국민 실생활에서 많이 사용하지만 표준어 대접을 받지 못한 '짜장면'과 '먹거리'를 비롯한 서른아홉 개 단어를 표준어로 인정하고 이를 인터넷 '표준국어대사전'에 반영했다고 31일 밝혔다.

이번 조치로 그동안 규범과 실제 사용 간의 차이에서 생겨난 언어생활의 불편이 상당히 해소될 것으로 기대된다고 연구원은 덧붙였다.

– 《연합뉴스》, 2011년 8월 31일 자

---

11 이 글을 읽고 보인 반응으로 적절하지 <u>않은</u> 것은?

① 표준어로 인정받지 못했던 '짜장면'이 표준어가 되었어.
② 사람들의 언어생활을 반영해서 표준어를 추가한 것이야.
③ '짜장면'을 표준어로 인정한 것은 새로운 사회적 약속을 맺은 것이야.
④ 사람들이 자주 사용하는 비표준어가 나중에 표준어가 될 수도 있겠어.
⑤ 언어의 의미와 말소리의 관계가 자의적이기 때문에 '짜장면'이 표준어가 된 거야.

12 이 글을 읽고 다음과 같은 생각을 떠올렸을 때, 빈칸에 들어갈 알맞은 말을 2어절로 쓰시오.

표준어가 아니었던 '짜장면'이 표준어로 인정받게 된 것은 시간이 지남에 따라 언어가 변화한다는 점을 고려한 것으로, 이는 (　　　　) 와/과 관련 있어.

13 다음 글에 대한 설명으로 적절하지 않은 것은?

'스타일리스트'는 '맵시가꿈이'로 바꿔요. 완드 ∨

조회 000

지난번에는 '옷이나 실내 장식 등과 관련된 일에 조언을 하거나 그 일을 지도하는 사람'을 뜻하는 외래어 '스타일리스트(stylist)'를 대신할 우리말을 확정하기 위해 누리꾼이 제안한 435건 가운데 '맵시가꿈이', '멋지기', '멋도우미', '맵시연출가', '맵시관리사' 등을 후보로 하여 투표를 벌였습니다.

총 561명이 투표에 참여하여 '맵시가꿈이'는 268명(47%), '멋지기'는 84명(14%), '멋도우미'는 68명(12%), '맵시연출가'는 108명(19%), '맵시관리사'는 33명(5%)이 지지하였습니다. 따라서 가장 많은 지지를 얻은 '맵시가꿈이'가 '스타일리스트'의 다듬은 말로 결정되었습니다.

앞으로 이 말이 널리 퍼지도록 힘써 주시기 바랍니다.

– 국립국어원, 〈우리말 다듬기〉

파일 첨부 🔗 | 인쇄 🖶 | 신고 🚩

① 외래어인 '스타일리스트'를 대체할 우리말을 선정하여 안내하는 글이다.

② '스타일리스트'의 다듬은 말을 투표로 결정하는 것은 언어의 사회성과 관련 있다.

③ '맵시가꿈이', '멋지기', '멋도우미' 등을 통해 시간이 흐름에 따라 변화하는 언어의 역사성을 알 수 있다.

④ '스타일리스트'를 대체하기 위해 기존의 단어들을 활용해 새로운 말을 만들어 낸 것은 언어의 창조성과 관련 있다.

⑤ '옷이나 실내 장식 등과 관련된 일에 조언을 하거나 그 일을 지도하는 사람'이라는 의미와 '스타일리스트'라는 말소리 사이의 관계는 자의적이다.

14 (가), (나)와 관련 있는 언어의 본질을 바르게 연결한 것은?

가 유주: 우리 '차오메이[草莓]' 먹자.

남수: '차오메이?', 이건 딸기인데 왜 그렇게 불러?

유주: 내가 요즘 중국어를 배우고 있는데, 중국에서는 딸기를 '차오메이'라고 한대.

남수: 영어로 '스트로베리'라고 하는데 중국어로는 '차오메이'라고 하는구나.

유주: 맞아. '딸기', '차오메이', '스트로베리'는 모두 똑같은 것을 가리키는 말이야.

남수: 동일한 대상을 가리키는 말이 왜 언어마다 다른 걸까?

유주: 언어의 의미와 말소리 사이에는 필연성이 없기 때문이야.

나 예전에는 '강', '산', '용'을 가리킬 때 각각 '가람', '뫼', '미르'라는 말을 사용했는데 지금은 이 말들이 쓰이지 않는다. 그리고 '인공위성', '휴대 전화'와 같이 새로운 대상이나 개념이 생기면서 이를 나타내는 새로운 말이 계속 생겨나고 있다.

	(가)	(나)
①	자의성	역사성
②	사회성	자의성
③	사회성	창조성
④	역사성	사회성
⑤	창조성	자의성

도움말

(가)에서 '딸기'라는 의미를 표현하는 각 나라의 말소리가 서로 다른 것은 언어의 의미와 그 의미를 나타내는 ❶　　　 사이에 필연적인 관계가 없기 때문이야. (나)에는 ❷　　　 의 흐름에 따라 언어가 사라지거나 생겨나는 등 끊임없이 변화하는 모습이 나타나 있어.

답 ❶ 말소리 ❷ 시간

01 다음 중 언어의 본질에 대한 설명으로 적절하지 <u>않은</u> 것은?

① 언어의 본질에는 자의성, 사회성, 역사성, 창조성이 있다.

② 언어가 시간의 흐름에 따라 변하는 것은 언어의 역사성과 관련 있다.

③ 언어는 사회적 약속이기 때문에 시간이 아무리 흘러도 변하지 않는다.

④ 언어의 사회성은 언어가 그것을 사용하는 사람들 사이의 약속임을 의미한다.

⑤ 언어의 의미와 말소리의 관계가 필연적이지 않은 것을 언어의 자의성이라고 한다.

02 〈보기〉에서 알 수 있는 언어의 본질과 그 의미를 〈조건〉에 맞게 쓰시오.

┌ 보기 ┐

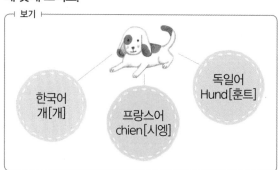

한국어 개[개]

프랑스어 chien[시엥]

독일어 Hund[훈트]

└────────┘

┌ 조건 ┐

1. 언어의 본질은 2어절로 쓸 것

2. 의미는 '의미'와 '말소리'라는 단어를 활용하여 20자 이내의 한 문장으로 쓸 것

└────────┘

(1) 언어의 본질: _____

(2) 의미: _____

_____

03 다음 상황에서 남학생의 설명을 듣고 여학생이 답을 맞힐 수 있는 이유로 적절한 것은?

① 새로운 단어를 만들어 낼 수 있는 창조성이 있기 때문이다.

② 언어의 의미와 말소리 사이에 필연적인 관계가 없기 때문이다.

③ 단어나 문장을 만들 때 일정한 규칙이 적용되고 있기 때문이다.

④ 정답으로 제시된 단어의 의미가 변해 온 과정을 알고 있기 때문이다.

⑤ 특정한 의미를 특정한 말소리로 나타낸다는 사회적 약속을 지키고 있기 때문이다.

04 ㉠~㉣ 중, 언어의 변화 양상이 같은 것끼리 바르게 묶인 것은?

┌────────┐

㉠ 오늘날 우리가 '뿌리'라고 부르는 것을 조선 시대 사람들은 '불휘'라고 불렀다.

㉡ '인터넷 게시글에 답하여 올리는 짧은 글'이라는 뜻으로 '댓글'이라는 말이 새로 생겨났다.

㉢ 예전에는 '백(百)'을 '온'이라고 불렀으나 이제는 '온'이라는 단어를 거의 사용하지 않는다.

㉣ '전자 회로를 이용한 고속 자동 계산기'가 개발되어, 그것을 부르는 '컴퓨터'라는 단어가 생겼다.

└────────┘

① ㉠, ㉡   ② ㉡, ㉢   ③ ㉠, ㉢

④ ㉡, ㉣   ⑤ ㉣, ㉤

05 〈보기〉와 같이 '무지개', '꿈', '하늘'이라는 단어를 활용하여 다양한 문장을 만들 수 있는 이유를 〈조건〉에 맞게 쓰시오.

┌ 보기 ┐
- 어젯밤 꿈에서 하늘에 뜬 무지개를 보았다.
- 오늘 무지개가 뜬 파란 하늘은 꿈같이 아름다웠다.
- 비가 그치면 하늘에 무지개가 뜨는 것처럼, 지금 이 시련을 견뎌 내면 내 꿈이 이루어질 것을 믿는다.

┌ 조건 ┐
1. 언어의 본질과 관련지어 설명할 것
2. '…… 때문이다.' 형식의 30자 내외 한 문장으로 쓸 것

06 다음 중 〈보기〉와 관련 있는 예로 적절하지 <u>않은</u> 것은?

┌ 보기 ┐
　언어의 의미와 말소리의 결합은 필연적이지 않다.

① '갯과의 포유류'인 '개'를 부르는 말은 전 세계의 언어마다 각기 다르며 다양하게 존재한다.
② 인간은 '바다'와 '모래'라는 이미 알고 있던 말을 바탕으로 수많은 문장을 만들어 낼 수 있다.
③ '기압의 변화로 일어나는 공기의 움직임'이라는 의미와 '바람'이라는 말소리 사이에는 필연적인 연관성이 없다.
④ '은하수', 'Milky Way[밀키 웨이]', '天の川[아미노가와]'는 서로 다른 말소리이지만 모두 같은 의미를 나타낸다.
⑤ '나는 너를 사랑해.', 'I love you.'라는 문장은 말소리는 다르지만 누군가를 아끼고 소중하게 여긴다는 동일한 의미를 담고 있다.

07 다음 상황에서 의사소통에 문제가 발생한 이유로 적절한 것은?

① 성호가 '몽미'의 정확한 의미를 알지 못해서 다른 과일과 헷갈렸기 때문이다.
② '수박'이라는 의미와 [몽미]라는 말소리가 자의적으로 연결되지 않았기 때문이다.
③ 언어의 역사성에 따라 '수박'이라는 단어가 '몽미'로 바뀐 것을 가게 주인이 몰랐기 때문이다.
④ 성호가 '수박'을 마음대로 '몽미'라고 바꿔 부름으로써 언어의 사회성을 지키지 않았기 때문이다.
⑤ 성호와 가게 주인이 [수박]과 [몽미]라는 말소리를 통해 표현하고자 하는 의미가 서로 달랐기 때문이다.

08 다음 대화를 보고 언어의 사회성을 지키지 않았을 때 발생하는 문제점을 〈조건〉에 맞게 쓰시오.

엄마: 정현아, 학교 갈 시간이야. 준비 다 했니?
정현: 그럼요. 저 그럼 필통에 다녀오겠습니다.
엄마: (어리둥절해하며) 뭐? 필통에 다녀온다니? 무슨 말이니?

┌ 조건 ┐
'의사소통'이라는 단어를 활용하여 쓸 것

09 ㄱ~ㅁ 중, 〈보기〉의 밑줄 친 부분에 해당하는 예로 적절한 것은?

> ─ 보기 ─
>
> 언어는 시간의 흐름에 따라 쓰이던 말이 쓰이지 않게 되어 사라지거나, <u>의미나 말소리가 변하거나,</u> 없던 말이 생기기도 한다.

> ㄱ 오늘날 우리가 '꽃'이라고 부르는 것을 조선 시대 사람들은 '곶'이라고 불렀다.
>
> ㄴ '방갓'은 예전에, 밖에 나갈 때 쓰던 큰 갓을 이르는 말인데, 지금은 거의 쓰이지 않는다.
>
> ㄷ '인공위성'과 같이 새로운 사물이나 개념이 생기면 이를 나타내는 새로운 말도 생겨난다.
>
> ㄹ 중세 국어에서는 '어여쁘다'가 '불쌍하다'라는 뜻이었으나, 지금은 '예쁘다'라는 의미이다.
>
> ㅁ 지도를 보이거나 지름길을 찾아 주어 운전을 도와주는 장치가 개발되었는데, 이를 '내비게이션'이라고 한다.

① ㄱ, ㄴ   ② ㄱ, ㄷ

③ ㄱ, ㄹ   ④ ㄴ, ㄹ

⑤ ㄷ, ㅁ

10 ⓐ~ⓓ 중, 언어의 창조성을 뒷받침하는 예를 모두 골라 그 기호를 쓰시오.

> ⓐ '길'과 '꽃'이라는 단어를 활용하여 수많은 문장을 만들어 낼 수 있다.
>
> ⓑ '천(千)'을 뜻하는 '즈믄'은 예전에는 쓰였으나, 지금은 쓰이지 않는다.
>
> ⓒ 한국어에서 '나무'라고 부르는 것을 중국어로는 '木[무]', 영어로는 'tree[트리]'라고 부른다.
>
> ⓓ '우유 마시자.'와 '밥 먹고 싶어요.'라는 문장을 배운 아이가 '우유 먹고 싶어요.'와 같이 새로운 문장을 만들어 낸다.

11 다음 질문에 대한 답으로 적절한 것은?

> 를 반드시 '나비'라고만 불러야 할까?

① '나비'를 다른 말로 바꾸어 불러도 의사소통에는 전혀 문제가 없어.

② '나비'를 가리키는 말은 시대에 따라 달라지니까 각자 부르고 싶은 대로 불러도 돼.

③ '나비'는 '나비'라고 부르기로 약속했기 때문에 언어가 다르더라도 모두 '나비'로만 불러야 해.

④ '나비'가 가리키는 의미와 그 말소리 사이에는 필연적인 관계가 있으니 '나비'라고만 불러야 해.

⑤ 반드시 '나비'여야 하는 것은 아니지만, 다른 말소리로 부르면 사람들이 알아듣지 못할 수 있어.

12 다음을 통해 알 수 있는 언어의 본질에 대한 설명으로 적절한 것은?

① '쫄순이'는 원래 알고 있던 단어들을 활용하여 새롭게 창조해 낸 단어이다.

② 2번 메뉴의 이름을 '군튀레'라고 정한다면, 시간이 흘러도 절대로 바뀌지 않을 것이다.

③ [쫄순이]라는 말소리와 '쫄순이'라는 메뉴의 의미 사이에는 필연적인 연관 관계가 존재한다.

④ 여러 사람이 각자 2번 메뉴의 이름을 만든다면 모두가 같은 이름을 만들 수밖에 없을 것이다.

⑤ 국어를 사용하는 사람이라면 누구든 '쫄순이'라는 이름을 처음 듣고도 그 의미를 이해할 수 있다.

13 다음을 읽고 '어리다'의 뜻이 어떻게 바뀌었는지 쓰시오.

세종 대왕: 우리나라 말이 중국과 달라 한자와는 서로 통하지 않으므로, 어린 백성이 말하고자 하는 바가 있어도 끝내 제 뜻을 펴지 못하는 사람이 많으니라.

조선 시대 사람	현대인
나 같은 어리석은 백성을 위해 한글을 만들어 주셨구나!	어린 백성? 아, 어린이들이 쉽게 배울 수 있도록 한글을 만드셨던 거네!

(1) 조선 시대: _____

(2) 현대: _____

14 (가), (나)와 관련 있는 언어의 본질을 차례대로 쓰시오.

> **가** 학생 1: 난 앞으로 '자전거'를 '기차'라고 부를 거야.
>
> 학생 2: 그렇게 마음대로 바꿔 부르면 안 돼. 사회적으로 '자전거'라고 부르기로 약속한 거니까.
>
> **나** 딸: 엄마, '무우'가 맞아요, 아니면 '무'가 맞아요? 가끔 헷갈려요.
>
> 엄마: 엄마 어릴 때에는 '무우'가 표준어였는데, 지금은 '무'가 표준어야.

• (가): _____ • (나): _____

15 ㉠~㉤에 대한 설명으로 적절하지 <u>않은</u> 것은?

> ㉠프랑스인들은 침대를 '리', 책상을 '타블'이라 말하고, 그림은 '타블로', 의자는 '셰에즈'라 부른다. ㉡그 말들을 사용하여 그들은 의견을 주고받는다. 중국인들도 그들끼리 역시 이런 식으로 의사소통한다.
>
> ㉢'무엇 때문에 침대를 사진이라고 부르면 안 된단 말인가.'
>
> 이렇게 생각하고 그 남자는 미소를 지었다.
>
> [중략]
>
> "이제는 달라지는 거다."
>
> 하고 그는 외쳤다. ㉣그리고 지금부터 침대를 '사진'이라고 말하기로 했다.
>
> "나는 피곤해. 사진 속으로 들어갈 테야."
>
> 라고 그는 말했다. 그래서 그는 아침마다 오랫동안 사진 속에 누워 있었다. ㉤그럼 의자는 무엇이라고 부를까, 곰곰이 생각해 보고 그는 의자를 '괘종시계'라고 부르기로 했다.
>
>
>
> – 페터 빅셀, 〈책상은 책상이다〉

① ㉠에서 언어의 의미와 말소리의 관계가 자의적임을 알 수 있다.

② ㉡에서 각 나라의 사람들끼리 말이 통하는 것은 언어의 사회성과 관련 있다.

③ ㉢의 이유는 '침대'를 '침대'라고 부르자는 사회적인 약속을 맺었기 때문이다.

④ ㉣에서 '침대'를 '사진'이라고 부르는 것은 언어의 창조성과 관련 있다.

⑤ ㉤처럼 계속해서 자의적으로 사물의 이름을 바꾸어 부른다면, 다른 사람들과 의사소통하는 데 문제가 생길 것이다.

01 〈보기〉와 관련 있는 언어의 본질을 쓰시오.

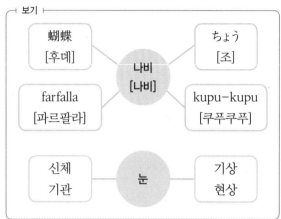

┌ 보기 ┐

蝴蝶 [후뎨]		ちょう [조]
	나비 [나비]	
farfalla [파르팔라]		kupu-kupu [쿠푸쿠푸]

| 신체 기관 | 눈 | 기상 현상 |

도움말

언어의 **❶**[   ]와 **❷**[   ]의 관계가 필연적이라면 전 세계의 언어가 동일하고, 동음이의어도 존재하지 않을 거야.

답 ❶ 의미 ❷ 말소리

02 〈보기〉와 같이 같은 대상을 나타내는 말이 언어마다 다른 이유를 한 문장으로 쓰시오.

┌ 보기 ┐

딸기 [딸:기]
草莓 [차오메이]
Strawberry [스트로베리]

도움말

같은 대상을 가리키는 말이 언어마다 다르게 나타나는 것은 언어의 **❶**[   ]와 말소리 사이에 필연적인 **❷**[   ]가 없기 때문이야.

답 ❶ 의미 ❷ 관계

03 〈보기〉와 같이 설명을 듣고 단어를 떠올릴 수 있는 이유를 〈조건〉에 맞게 서술하시오.

┌ 보기 ┐

'사람이 타고 앉아 두 다리의 힘으로 바퀴를 돌려서 가게 된 탈것'이라는 설명을 들으면 '자전거'라는 단어를 떠올릴 수 있다.

┌ 조건 ┐

1. 언어의 본질과 관련지어 설명할 것
2. '언어는 ……이기 때문이다.'의 형식으로 쓸 것

도움말

언어를 통해 소통할 수 있는 이유는 그 언어를 사용하는 사람들이 특정한 **❶**[   ]를 특정한 말소리로 나타내자는 사회적 **❷**[   ]을 맺었기 때문이야.

답 ❶ 의미 ❷ 약속

04 〈보기〉에서 알 수 있는 언어의 본질을 쓰시오.

┌ 보기 ┐

앵무새에게 '풍선'이라고 말하면 앵무새는 '풍선'이라는 말만 따라 하지만, 어린아이에게 '풍선'이라는 말을 알려 주면 '풍선 사 주세요.' '파란색 풍선이 좋아요.' 등의 다양한 문장을 만들어 낸다.

도움말

동물과 달리 인간은 이미 알고 있는 언어를 바탕으로 새로운 단어나 **❶**[   ]을 무한히 만들 수 있는데, 이는 언어의 **❷**[   ]과 관련 있어.

답 ❶ 문장 ❷ 창조성

05 다음 밑줄 친 부분과 관련 있는 언어의 본질을 쓰시오.

> ✓ 혼밥: 혼자서 밥을 먹음. 또는 그렇게 먹는 밥
> ✓ 사이다(cider): 답답한 상황을 속 시원하게 해결해 주는 사람이나 상황을 비유적으로 이르는 말
>
> 지연: 이런 말들은 우리가 흔히 일상생활에서 자주 쓰는데, 왜 사전에 실리지 못하는 걸까?
> 현기: '혼밥'이나 '사이다'는 사회 구성원들이 표준어로 인정하지 않았기 때문이야.

도움말

새로운 말이 **❶**〔　　　〕에 올라가려면 사회 구성원들이 그 단어를 표준어로 인정한다는 새로운 약속을 맺어야 하는데, 이는 언어의 **❷**〔　　　〕과 관련이 있어.

답 ❶ 사전 ❷ 사회성

06 다음 예와 관련된 언어의 본질이 나머지와 다른 하나는?

① '슈룹'이라는 말은 '우산'을 가리키는 옛말이다.
② '복숭아'는 옛날에는 '복셩화'라는 말소리로 불렸다.
③ 인터넷이 보급되면서 '누리꾼', '댓글'이라는 말이 쓰이기 시작했다.
④ 예전에는 '용'을 '미르'라고 불렀으나, 지금은 '미르'라는 말이 거의 쓰이지 않는다.
⑤ 한국에서 '구름'이라고 부르는 대상을 영어로는 'cloud[클라우드]', 스웨덴어로는 'moln[몰른]'이라고 부른다.

도움말

언어가 시간의 흐름에 따라 끊임없이 변화하는 것은 언어의 **❶**〔　　　〕과 관련 있고, 언어의 의미와 말소리 사이의 관계가 필연적이지 않다는 것은 언어의 **❷**〔　　　〕과 관련 있어.

답 ❶ 역사성 ❷ 자의성

07 〈보기〉에 제시된 단어를 다음 기준에 따라 분류할 때, ㉠~㉢에 들어갈 단어를 모두 쓰시오.

> **보기**
> 먹방　인공위성　바다　개이득　호랑이

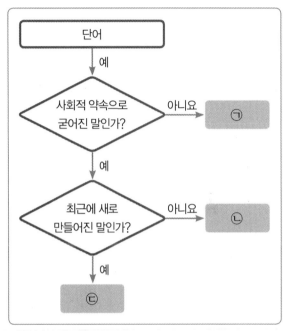

• ㉠: ＿＿＿＿＿＿＿＿＿＿＿＿

• ㉡: ＿＿＿＿＿＿＿＿＿＿＿＿

• ㉢: ＿＿＿＿＿＿＿＿＿＿＿＿

도움말

사회적 **❶**〔　　　〕으로 굳어진 말인지를 판단할 때에는 **❷**〔　　　〕에 수록된 단어인지를 살펴보고, 이러한 말 중에서 기존에 있었던 말은 무엇인지, 새롭게 만들어진 말은 무엇인지 생각해 봐.

답 ❶ 약속 ❷ 국어사전

> 언어의 변화 양상에는 사라진 말, 의미나 말소리가 변한 말, 새로 생긴 말이 있다는 것을 기억해.

08 다음 중 〈보기〉와 관련 있는 언어의 본질의 예를 <u>잘못</u> 제시한 것은?

┌─ 보기 ─┐

돼지
[돼:지]
한국어

pig
[피그]
영어

ぶた
[부타]
일본어

Schwein
[슈바인]
독일어

 ① 지구상에는 수천 종의 언어가 존재해.

② 새로운 소행성을 발견했을 때 발견한 사람이 자신이 원하는 이름을 붙일 수 있어.

 ③ '(눈을) 뜨다, (물에) 뜨다'처럼 말소리는 같지만 의미가 다른 동음이의어가 존재해.

 ④ '영감'은 과거에 벼슬아치를 이르던 말이었는데, 현대에는 나이가 많은 남자를 이르는 말로 바뀌었어.

 ⑤ '강아지'라는 의미의 말을 한국어로는 '강아지[강아지]', 영어로는 'puppy[퍼피]', 스웨덴어로는 'hundvalp[훈드발프]'라고 해.

📷 _____ 전송

도움말

같은 대상을 가리키는 말이 **❶**[____]마다 다르게 나타나는 것은 언어의 의미와 말소리 사이에 필연적인 **❷**[____]가 없다는 언어의 자의성과 관련 있어.

🔑 답 ❶ 언어 ❷ 관계

09 다음 상황과 관련 있는 언어의 본질에 대한 설명으로 적절한 것은?

① 언어는 사회 구성원들 사이의 약속이다.
② 언어는 시간의 흐름에 따라 끊임없이 변화한다.
③ 언어의 내용과 형식의 관계가 필연적이지 않다.
④ 새로운 표현을 만들 때 일정한 규칙이 적용된다.
⑤ 이미 알고 있는 언어를 바탕으로 새로운 단어와 문장을 무한히 만들어 낼 수 있다.

도움말

언어는 그 언어를 사용하는 사람들 사이의 사회적인 **❶**[____] 이기 때문에 어느 한 개인이 마음대로 바꾸어 쓰면 **❷**[____]에 문제가 생겨.

🔑 답 ❶ 약속 ❷ 의사소통

10 다음 중 〈보기〉의 설명과 관련 <u>없는</u> 단어는?

┌─ 보기 ─┐

시간의 흐름에 따라 새로운 대상이나 개념이 생기고 이를 가리키기 위한 말이 필요해진다. 현대에는 과학이나 통신 기술의 발달로 많은 사물이 등장하고 있다.

① 꽃   ② 댓글   ③ 누리꾼
④ 인공위성   ⑤ 스마트폰

도움말

언어는 **❶**[____]이 흐르면서 끊임없이 **❷**[____]하는데, 요즘에는 '내비게이션', '인공위성' 등과 같이 과학 기술의 발달로 새로운 단어가 많이 생겨나고 있어.

🔑 답 ❶ 시간 ❷ 변화

11 〈보기〉의 ㉠에 대한 설명 중에서 ⓐ, ⓑ에 들어갈 알맞은 말을 쓰시오.

> ┤ 보기 ├
> 조선 시대 백성들의 대화
> 백성 1: 순돌이는 참 ㉠어린 사람이야. 그렇게 열심히 공부했는데 아직 천자문을 떼지 못했어.
> 백성 2: 그 친구 생긴 거는 멀쩡한데 어찌……

> '어리다'는 조선 시대에 '(ⓐ)'라는 의미로 쓰였으나, 현대에 와서 '나이가 적다'라는 의미로 쓰인다. 이와 비슷한 예로 '어여쁘다'가 있다. '어여쁘다'는 조선 시대에 '(ⓑ)'라는 의미로 쓰이다가 지금은 '예쁘다'라는 뜻으로 쓰인다.

• ⓐ: ＿＿＿＿＿＿＿＿＿＿　• ⓑ: ＿＿＿＿＿＿＿＿＿＿

> **도움말**
> 언어는 **❶**[　　]의 흐름에 따라 의미나 말소리가 변하기도 해. '어리다'와 '어여쁘다'는 **❷**[　　]가 변한 사례야.
> 답 ❶ 시간 ❷ 의미

12 〈보기〉와 관련 있는 언어의 본질을 쓰시오.

> ┤ 보기 ├
> | 놀이터 | 동생 | 엄마 |
>
> 나는 이 세 단어를 활용해서 열 가지도 넘는 문장을 만들 수 있어.

> **도움말**
> 이미 알고 있는 언어를 바탕으로 새로운 단어나 **❶**[　　]을 무한히 만들 수 있는 것은 언어의 **❷**[　　]과 관련 있어.
> 답 ❶ 문장 ❷ 창조성

13 (가)～(다)와 관련 있는 언어의 본질을 차례대로 쓰시오.

• (가): ＿＿＿＿＿＿＿＿＿＿　• (나): ＿＿＿＿＿＿＿＿＿＿

• (다): ＿＿＿＿＿＿＿＿＿＿

> **도움말**
> (가)에서는 '나비'라는 대상을 **❶**[　　]마다 다르게 부르고 있고, (나)에는 단어의 **❷**[　　]가 변한 사례가 나타나 있어. (다)에서는 '토마토'라는 단어를 활용하여 다양한 문장을 표현하고 있어.
> 답 ❶ 언어 ❷ 말소리

품사의 종류와 특성

단어를 어떻게 분류할 수 있을까?

체언

용언

동사, 형용사를 묶어서 '용언'이라고 하는데, 용언은 문장에서 주체의 동작이나 상태 등을 설명하는 역할을 해.

동사 — 달리다 · 먹다 · 생각하다

형용사 — 춥다 · 높다 · 얇다

수식언

관형사, 부사를 묶어서 '수식언'이라고 하는데, 수식언은 문장에서 다른 말을 꾸며 주는 역할을 해.

새 옷 · 헌 옷 — 관형사

아주 빠르다. · 매우 덥다. — 부사

관계언

조사

시후가 밥을 먹는다.   시후도 밥을 먹는다.

체언 뒤에 붙어서 다른 말과의 문법적 관계를 나타내거나 특별한 뜻을 더해 주는 조사를 '관계언'이라고 해.

독립언

문장에서 독립적으로 쓰이는 감탄사를 '독립언'이라고 해.

감탄사

우아!   야호!

* 품사의 종류와 특성을 바탕으로 국어의 문법 체계를 이해해 보세요.

개념 01 품사의 개념과 분류 기준

• **품사의 개념**: 공통된 성질에 따라 묶은 단어의 갈래
• **품사의 분류 기준**

형태	단어가 문장에서 쓰일 때 ❶ 가 변하는가 변하지 않는가? 예 가변어, 불변어
기능	단어가 문장에서 어떤 ❷ 을 하는가? 예 체언, 용언, 수식언, 관계언, 독립언
의미	단어가 문장에서 어떤 의미를 나타내는가? 예 명사, 대명사, 수사, 동사, 형용사, 관형사, 부사, 조사, 감탄사

답 ❶ 형태 ❷ 기능

확인 01 다음 빈칸에 들어갈 알맞은 말을 쓰시오.

공통된 성질에 따라 묶은 단어의 (   )을/를 품사라고 한다.

개념 02 명사

• 사람이나 사물 등의 ❶   을 나타내는 단어

구체 명사	구체적인 대상의 이름을 나타내는 단어 예 가방, 집, 꽃, 이순신	
추상 명사	❷ 인 대상의 이름을 나타내는 단어 예 사랑, 우정, 행복, 노력, 희망	

교과서 예

정아의 얼굴에서 희망을 찾을 수 있었다.
구체 명사   추상 명사

답 ❶ 이름 ❷ 추상적

확인 02 〈보기〉에서 추상 명사를 모두 찾아 O 표시를 하시오.

보기
사랑   연필   자유   철수   지우개

개념 03 대명사

• 사람이나 ❶   , 장소의 이름을 대신하여 나타내는 단어

인칭 대명사	사람의 이름을 대신하여 가리키는 단어 예 나, 저, 우리, 저희, 너, 너희 등
지시 대명사	사물의 이름을 대신하여 가리키는 단어 예 이것, 그것, 저것 등
	❷ 의 이름을 대신하여 가리키는 단어 예 여기, 거기, 저기 등

교과서 예

사람의 이름을 대신하여 나타냄.
이거 너의 구두니? 너를 찾아 여기까지 왔어.
사물의 이름을 대신하여 나타냄.   장소의 이름을 대신하여 나타냄.

답 ❶ 사물 ❷ 장소

확인 03 다음 중 대명사가 아닌 것은?

① 그것   ② 우리   ③ 여기   ④ 저희   ⑤ 학교

개념 04 수사

• 사람이나 사물 등의 수량이나 ❶   를 나타내는 단어

양수사	❷ 을 나타내는 단어 예 하나, 둘, 셋, 일, 이, 삼 등
서수사	순서를 나타내는 단어 예 첫째, 둘째, 셋째, 제일, 제이, 제삼 등

교과서 예

• 둘이 먹다가 하나가 죽어도 모를 맛이다.
   └ 수량을 나타냄. ┘
• 그 비법은 첫째가 신선한 재료, 둘째가 정성이다.
      └─ 순서를 나타냄. ─┘

답 ❶ 순서 ❷ 수량

확인 04 다음 문장에서 수사를 찾아 O 표시를 하시오.

(1) 달리기 시합에서 셋째로 들어왔다.
(2) 우리 할머니는 아들만 넷을 낳으셨다.

>> 정답과 해설 12쪽

개념 05 체언의 특성

- 명사, 대명사, 수사를 묶어서 ❶ [ ] 이라고 함.
- 문장에서 사용될 때 ❷ [ ] 가 변하지 않음.
  📝 산이 높다. 산이 푸르다.
- 문장에서 격 조사와 결합하여 주어, 목적어, 보어로 주로 쓰임.

> **교과서 예**
> - 진희가 청소를 한다. → 주어(동작의 주체)
> - 나는 사과를 좋아한다. → 목적어(동작의 대상)
> - 동생은 이제 막내가 아니다. → 보어(문장을 보충하는 역할)

답 ❶ 체언 ❷ 형태

확인 05 다음 밑줄 친 단어가 명사이면 '명', 대명사이면 '대', 수사이면 '수'라고 쓰시오.

(1) 비가 정말 많이 내렸다. (   )
(2) 우리는 축구를 좋아한다. (   )
(3) 이 파티에 오직 너 하나만 초대했어. (   )

개념 06 동사

- 사람이나 사물 등의 ❶ [ ] 을 나타내는 단어
  📝 가다, 먹다, 보다, 씻다, 앉다, 웃다 등

> **교과서 예**
> 나는 잔디밭에 앉아서 도시락을 먹었다.

- 문장에서 쓰일 때 ❷ [ ] 가 변함.

> **교과서 예**
> 나는 간식으로 빵을 먹었는데, 너는 뭘 먹었니?

답 ❶ 움직임 ❷ 형태

확인 06 다음 문장에서 동사를 모두 찾아 O 표시를 하시오.

(1) 새가 하늘을 날아다닌다.
(2) 그는 편지를 읽고, 미소를 지었다.

개념 07 형용사

- 사람이나 사물 등의 상태나 ❶ [ ] 을 나타내는 단어
  📝 좋다, 넓다, 하얗다, 재미있다, 깨끗하다 등

> **교과서 예**
> 하늘은 파랗고 강물은 맑다.

- 문장에서 쓰일 때 ❷ [ ] 가 변함.

> **교과서 예**
> - 아이에게 옷이 참 크구나.
> - 아이에게 큰 옷을 입혔다.

답 ❶ 성질 ❷ 형태

확인 07 다음 문장에서 형용사를 찾아 O 표시를 하시오.

(1) 네가 웃는 모습은 참 보기 좋아.
(2) 바람이 불어서 날씨가 시원하다.

개념 08 용언의 특성

- 동사, 형용사를 묶어서 용언이라고 함.
- 주로 ❶ [ ] 의 자리에 쓰이며, 문장에서 주체의 움직임, 상태, 성질 등을 설명하는 역할을 함.

> **교과서 예**
> 준수가 달린다. 준수는 매우 빠르다.

- 문장에서 쓰일 때 쓰임에 따라 형태가 다양하게 변하는데, 이를 '❷ [ ]'이라고 함.

> **교과서 예**
> 기본형 '씻다'
> 형태가 변하는 단어의 기본이 되는 형태. 용언이 활용할 때 변하지 않는 부분에 '-다'를 붙임.
> ➡
> 진아가 손을 씻는다.
> 진아가 손을 씻니?
> 진아야, 손을 씻자.
> 진아야, 손을 씻어라.

답 ❶ 서술어 ❷ 활용

확인 08 다음 단어들의 품사를 바르게 연결하시오.

(1) 먹다, 서다, 울다   •   • ㉠ 동사
(2) 얇다, 귀엽다, 노랗다 •   • ㉡ 형용사

개념 09 동사, 형용사의 구별

- 동사는 현재형 어미 '-는-/-ㄴ-'을 붙여 쓸 수 있지만, 형용사는 그럴 수 없음.

  교과서 예
  - 윤서가 손을 <u>잡는다</u>. (O)　　• 윤서는 손이 <u>작는다</u>. (X)

- 동사는 **①**〔　　〕의 뜻을 나타내는 어미 '-자'와 붙여 쓸 수 있지만, 형용사는 그럴 수 없음.

  교과서 예
  - 윤서야, 손 <u>잡자</u>. (O)　　• 윤서야, 손 <u>작자</u>. (X)

- 동사는 **②**〔　　〕의 뜻을 나타내는 어미 '-아라/-어라'를 붙여 쓸 수 있지만, 형용사는 그럴 수 없음.

  교과서 예
  - 윤서야, 손을 <u>잡아라</u>. (O)　　• 윤서야, 손을 <u>작아라</u>. (X)

  답 ❶ 청유 ❷ 명령

확인 09 다음 문장의 밑줄 친 단어가 동사이면 '동', 형용사이면 '형'이라고 쓰시오.

(1) 운동장이 정말 <u>넓다</u>.　　　　　　　　　(　)
(2) 할머니가 아기를 등에 <u>업었다</u>.　　　　　(　)

개념 10 관형사

- 체언 앞에 놓여서, **①**〔　　〕을 꾸며 주는 단어

  예 새, 헌, 옛, 이, 그, 저, 이런, 어느, 한, 두, 세 등

  교과서 예
  우리는 사진을 보며 옛추억에 잠겼다.
  체언 '추억'을 꾸며 줌.

- 관형사와 다른 품사의 구별: 뒤에 **②**〔　　〕가 붙어 있거나 붙을 수 있으면 수사나 대명사이고, 조사가 붙을 수 없고 뒤에 체언이 오면 관형사임.

  답 ❶ 체언 ❷ 조사

확인 10 다음 문장에서 관형사를 찾아 O 표시를 하시오.
(1) 너는 어떤 색깔을 좋아하니?
(2) 모든 학생이 운동장에 모였다.

개념 11 부사

- 주로 용언 앞에 놓여서, **①**〔　　〕을 꾸며 주는 단어

  예 꼭, 무척, 먼저, 같이, 매우 등

  교과서 예
  자전거가 쌩쌩 지나간다.
  용언 '지나간다'를 꾸며 줌.

- 용언 외에 다른 부사나 관형사, **②**〔　　〕 전체를 꾸며 주기도 함.

  교과서 예
  - 그는 매우 멀리 떠났다. → 부사 '멀리'를 꾸며 줌.
  - 과연 세준이는 훌륭한 선수로구나! → 문장 전체를 꾸며 줌.

  답 ❶ 용언 ❷ 문장

확인 11 다음 문장에서 부사가 꾸며 주는 대상을 찾아 O 표시를 하시오.
(1) 동생이 내 손을 꼭 잡았다.
(2) 개구리가 폴짝폴짝 뛰었다.

개념 12 수식언의 특성

- 관형사, 부사를 묶어서 수식언이라고 함.
- 문장에서 다른 단어를 꾸며 줌. 관형사는 **①**〔　　〕을, 부사는 주로 용언을 꾸밈.

  교과서 예
  성현이는 이 노래를 아주 좋아한다.
  체언 '노래'를 꾸며 주는 관형사　　용언 '좋아한다'를 꾸며 주는 부사

- 문장에서 쓰일 때 **②**〔　　〕가 변하지 않음.

  답 ❶ 체언 ❷ 형태

확인 12 다음 문장의 밑줄 친 단어가 관형사이면 '관', 부사이면 '부'라고 쓰시오.
(1) 지아는 <u>두</u> 다리를 쭉 뻗었다.　　　　　(　)
(2) 그 친구는 내일이면 <u>멀리</u> 떠나간다.　　(　)

개념 13 조사

- 주로 ❶ [   ] 뒤에 붙어서 다른 말과의 문법적 관계를 나타내거나 특별한 ❷ [   ]을 더해 주는 단어

격 조사	이/가, 께서, 을/를, 의, 으로, 에, 에게, 에서, 이다 등
보조사	은/는, 도, 만, 조차, 마저, 부터, 까지 등

> **교과서 예**
> 다른 말에 붙어 그 말이 동작의 대상임을 나타냄.
> **민호가 영수를 업었다.**
> 다른 말에 붙어 그 말이 동작을 하는 주체임을 나타냄.

답 ❶ 체언 ❷ 뜻

확인 13 다음 문장에서 조사를 모두 찾아 O 표시를 하시오.

(1) 친구에게 편지를 부쳤다.
(2) 친구들은 물을 마시고, 나만 주스를 먹었다.

개념 14 관계언의 특성

- 조사는 다른 말에 붙어 그 말과 다른 말의 ❶ [   ] 관계를 나타내므로 관계언이라고 함.
- 조사는 홀로 쓰일 수 없고 다른 말에 붙어 쓰임.
- 문장에서 쓰일 때 형태가 변하지 않지만, 서술격 조사 '이다'는 예외적으로 ❷ [   ]가 변함.

> **교과서 예**
> - 너는 중학생이다.
> - 너는 중학생이니?
> - 너는 중학생이고, 나는 고등학생이나.

답 ❶ 문법적 ❷ 형태

확인 14 다음 문장의 빈칸에 들어갈 알맞은 조사를 〈보기〉에서 찾아 쓰시오.

> 보기
> 에게, 께서, 을/를, 에서, 이다

(1) 현아(   ) 부탁을 해도 될까?
(2) 정수는 영화관에서 친구(   ) 우연히 만났다.

개념 15 감탄사

- 놀람, 반가움 등의 ❶ [   ], 부름이나 대답을 나타내는 단어

놀람, 반가움 등의 느낌	어머나, 아, 야, 아차, 앗, 아이고 등
부름	어이, 이봐, 얘, 여보세요 등
❷ [ ]	그래, 응, 오냐, 예, 네, 아니 등

> **교과서 예**
> - 어머나, 꽃이 피었네. → 놀람을 나타냄.
> - 야, 이따 밥 먹으러 가자. → 부름을 나타냄.

답 ❶ 느낌 ❷ 대답

확인 15 다음 문장에서 감탄사를 찾아 O 표시를 하시오.

(1) 어머, 이 꽃 좀 봐!
(2) 얘, 물 좀 떠 오너라.
(3) 그래, 알았어. 네 말대로 할게.

개념 16 독립언의 특성

- 감탄사는 문장에서 다른 말들에 얽매이지 않고 독립적으로 쓰이므로 ❶ [   ]이라고 함.

> **교과서 예**
> **우아, 이 고양이 너무 귀엽다.**
> → 감탄사를 생략해도 문장이 성립함.

- 문장에서 쓰일 때 ❷ [   ]가 변하지 않음.

답 ❶ 독립언 ❷ 형태

확인 16 다음 빈칸에 들어갈 알맞은 말을 쓰시오.

(1) 감탄사는 문장에서 다른 말들에 얽매이지 않고 (   )(으)로 쓰인다.
(2) 문장에서 감탄사를 (   )해도 문장이 성립한다.

01 ㉠~㉢에 들어갈 알맞은 말을 차례대로 쓰시오.

> 품사는 공통된 성질에 따라 묶은 단어의 갈래를 말한다. 품사는 문장에서 사용될 때 그 (㉠)이/가 변하는지 변하지 않는지, 문장에서 어떤 (㉡)을/를 하는지, '사람이나 사물 등의 이름을 나타내는 말', '움직임을 나타내는 말', '상태나 성질 등을 나타내는 말'과 같이 문장에서 어떤 (㉢)을/를 나타내는지에 따라 나눌 수 있다.

• ㉠: _____   • ㉡: _____

• ㉢: _____

02 다음 문장의 밑줄 친 단어가 명사이면 '명', 대명사이면 '대', 수사이면 '수'라고 쓰시오.

(1) 친구가 <u>나</u>에게 책을 주었다.   (   )
(2) 우리는 공통점이 <u>하나</u>도 없다.   (   )
(3) 생일 선물로 새 <u>자전거</u>를 받고 싶다.   (   )

03 다음 중 〈보기〉와 같이 형태가 변하는 단어가 <u>아닌</u> 것은?

> ┤ 보기 ├
> 추다 ┬ 진호가 춤을 춘다.
>   ├ 진호야, 춤을 추자.
>   └ 진호야, 춤을 추어라.

① 자다   ② 울다   ③ 씻다
④ 치우다   ⑤ 가볍다

04 다음 밑줄 친 수식언이 꾸며 주는 말로 적절하지 <u>않은</u> 것은?

① 찬 바람이 <u>쌩쌩</u> 분다. → 분다

② 눈이 <u>펑펑</u> 내리면 좋겠다. → 좋겠다

③ 겨울이 되니 해가 <u>일찍</u> 지네. → 지네

④ 사람들이 <u>온</u> 힘을 다해 차를 들어 올렸다. → 힘

⑤ 할아버지께서는 <u>옛</u> 사진을 소중히 여기신다. → 사진

05 다음 중 조사에 대한 설명으로 적절하지 <u>않은</u> 것은?

> 댓글
>
> ↳ 문장에서 홀로 쓰일 수 있어요. ·············· ①
> ↳ '이다'를 제외하고는 형태가 변하지 않아요. ·············· ②
> ↳ 체언에 붙어 특별한 뜻을 더해 주기도 해요. ·············· ③
> ↳ 주로 체언 뒤에 붙어서 다른 말과의 문법적 관계를 나타내요. ·············· ④
> ↳ 문장에 쓰인 단어들의 관계를 나타내므로 관계언이라고 해요. ·············· ⑤

06 다음 중 그림의 밑줄 친 부분과 비슷한 의미를 나타내는 감탄사가 사용된 것은?

① 야, 이쪽으로 와 봐!

② 네, 무엇을 도와드릴까요?

③ 어머나, 이게 얼마 만이니?

④ 아니요, 나쁜 뜻은 없었어요.

⑤ 여보세요, 거기 김 선생님 댁인가요?

대표 유형 ❶ 품사의 분류 기준 이해하기

1 ㉠~㉣ 중, 품사에 대한 설명으로 적절한 것을 모두 고른 것은?

> ㉠ 공통된 성질에 따라 묶은 단어의 갈래이다.
> ㉡ 우리말 단어는 형태, 자립, 의미를 기준으로 나눌 수 있다.
> ㉢ 단어가 문장 안에서 형태가 변하는지 여부에 따라 가변어와 불변어로 나눌 수 있다.
> ㉣ 단어가 문장에서 어떤 의미를 나타내는지에 따라 체언, 용언, 수식언, 관계언, 독립언으로 나눌 수 있다.

① ㉠, ㉡   ② ㉠, ㉢   ③ ㉠, ㉣
④ ㉡, ㉢   ⑤ ㉢, ㉣

유형 해결 전략

우리말 단어는 ❶〔　　〕, 기능, 의미를 기준으로 나눌 수 있으며, 단어를 ❷〔　　〕에 따라 나눌 경우 체언, 용언, 수식언, 관계언, 독립언으로 분류할 수 있다.

답 ❶ 형태 ❷ 기능

1-1 〈보기〉를 기준으로 단어를 분류할 때, 갈래가 나머지와 다른 하나는?

> ┤ 보기 ├
> 문장에서 쓰일 때 형태가 변하느냐, 변하지 않느냐?

① 얼굴   ② 자라다   ③ 예쁘다
④ 달리다   ⑤ 일어나다

1-2 품사를 〈보기〉와 같이 분류할 때, 그 기준이 무엇인지 쓰시오.

> ┤ 보기 ├
> 명사, 대명사, 수사, 동사, 형용사, 관형사, 부사, 조사, 감탄사

대표 유형 ❷ 체언의 종류 및 특성 이해하기

2 다음 중 체언에 대한 설명으로 적절하지 <u>않은</u> 것은?

> ① 문장에서 사용될 때 형태가 변해.
>
> ② 명사, 대명사, 수사를 묶어서 체언이라고 해.
>
> ③ 문장에서 주로 주어나 목적어, 보어로 쓰여.
>
> ④ 체언 중에서 수량이나 순서를 나타내는 단어를 수사라고 해.
>
> ⑤ 대명사는 사람이나 사물, 장소의 이름을 대신하여 나타내.

📷 [　　　　　　　　　　　] 전송

유형 해결 전략

명사, ❶〔　　〕, 수사를 묶어 체언이라고 한다. 체언은 문장에서 쓰일 때 ❷〔　　〕가 변하지 않으며 격 조사와 결합하여 주어, 목적어, 보어로 주로 쓰인다.

답 ❶ 대명사 ❷ 형태

2-1 ㉠~㉢에 대한 설명으로 적절하지 <u>않은</u> 것은?

> 진구가 사과 하나를 꺼내서 나에게 주었다.
>   ㉠　　　　　　㉡　　　　　　　㉢

① ㉠은 구체적인 대상의 이름을 나타낸다.
② ㉡은 사물의 수량을 나타낸다.
③ ㉢은 사람의 이름을 대신하여 나타낸다.
④ ㉠~㉢은 모두 문장에서 조사와 결합하여 쓰이는 체언이다.
⑤ ㉡과 ㉢은 문장에서 다른 단어들과 관계를 맺지 않고 독립적으로 쓰인다.

대표 유형 ③ 용언의 종류 및 특성 이해하기

3 다음 밑줄 친 단어 중에서 〈보기〉의 설명에 해당하지 <u>않</u>는 것은?

┌ 보기 ┐
• 문장에서 쓰일 때 형태가 변한다.
• 문장에서 사람이나 사물의 움직임, 상태, 성질 등을 설명하는 역할을 한다.
└────┘

① 손발을 깨끗이 <u>씻어라</u>.
② 지호가 즐겁게 음악을 <u>듣는다</u>.
③ 저녁 노을이 무척 <u>아름답구나</u>.
④ 글씨를 작게 <u>써서</u> 알아보기 어렵다.
⑤ 정우가 이번 학기 <u>우리</u> 반 회장이다.

유형 해결 전략

용언은 문장에서 사용될 때 그 형태가 변하는 ❶[   ]로 문장에서 주체의 ❷[   ]이나 상태, 성질을 설명하는 역할을 한다.

답 ❶ 가변어 ❷ 움직임

3-1 다음 중 형태가 변하는 단어끼리 바르게 짝지어진 것은?

① 첫째, 하나
② 여기, 이순신
③ 옷, 내리다
④ 구름, 하얗다
⑤ 먹다, 깨끗하다

3-2 의미를 기준으로 품사를 분류할 때, 〈보기〉의 밑줄 친 단어와 품사가 <u>다른</u> 것은?

┌ 보기 ┐
동생이 자전거를 타다가 넘어져서 <u>다쳤다</u>.

└────┘

① 먹다
② 잡다
③ 만들다
④ 생각하다
⑤ 재미있다

대표 유형 ④ 동사와 형용사 구별하기

4 다음 중 〈보기〉의 밑줄 친 단어와 같이 활용할 수 <u>없는</u> 것은?

┌ 보기 ┐
준수야, 젓가락질을 올바르게 <u>해라</u>.

① 막다
② 읽다
③ 빠르다
④ 치우다
⑤ 달리다

유형 해결 전략

동사와 달리 형용사는 '-아라/-어라'와 같은 ❶[   ]이나 '-자'와 같은 청유형으로 ❷[   ]할 수 없다.

답 ❶ 명령형 ❷ 활용

4-1 다음 문장 중 사람이나 사물 등의 상태나 성질을 나타내는 단어가 쓰이지 <u>않은</u> 것은?

① 영준이는 키가 작다.
② 운동장이 정말 넓어!
③ 민수가 기분이 좋구나?
④ 조금만 더 견디면 해가 떠오를 거야.
⑤ 물총새가 물속으로 날쌔게 뛰어들었다.

4-2 다음 밑줄 친 용언의 활용이 적절하지 <u>않은</u> 것은?

① 우리 함께 열심히 <u>공부하자</u>.
② 앞으로도 지금처럼 <u>행복하자</u>.
③ 누나가 피자를 맛있게 <u>먹는다</u>.
④ 외출 후에는 손을 깨끗이 <u>씻어라</u>.
⑤ 바람이 많이 부니까 옷을 따뜻하게 <u>입어라</u>.

01 다음 중 품사에 대한 설명으로 적절하지 <u>않은</u> 것은?

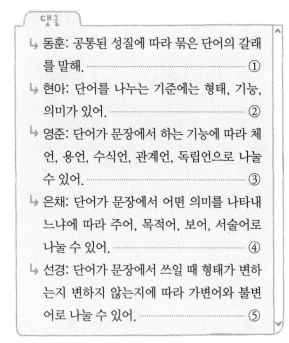

┌ 댓글
↳ 동훈: 공통된 성질에 따라 묶은 단어의 갈래를 말해. ·········· ①
↳ 현아: 단어를 나누는 기준에는 형태, 기능, 의미가 있어. ·········· ②
↳ 영준: 단어가 문장에서 하는 기능에 따라 체언, 용언, 수식언, 관계언, 독립언으로 나눌 수 있어. ·········· ③
↳ 은채: 단어가 문장에서 어떤 의미를 나타내느냐에 따라 주어, 목적어, 보어, 서술어로 나눌 수 있어. ·········· ④
↳ 선경: 단어가 문장에서 쓰일 때 형태가 변하는지 변하지 않는지에 따라 가변어와 불변어로 나눌 수 있어. ·········· ⑤

02 ㉠~㉤ 중, 의미를 기준으로 품사를 분류할 때 종류가 나머지와 <u>다른</u> 하나는?

와! ㉠산에 ㉡단풍이 곱게 들었어.

그러게, ㉢정말 아름답네.

우리 내일 ㉣도시락 싸서 산에 놀러 갈까?

좋아. ㉤민희도 같이 데려가자.

📷 _____ 전송

① ㉠   ② ㉡   ③ ㉢   ④ ㉣   ⑤ ㉤

03 〈보기〉의 단어를 (가), (나)와 같이 나눌 때, 그 기준이 무엇인지 〈조건〉에 맞게 서술하시오.

┌ 보기 ┐
교실, 깨끗하다, 매우,
빨갛다, 옛, 청소기, 고치다

가 깨끗하다, 빨갛다, 고치다

나 교실, 매우, 옛, 청소기

┌ 조건 ┐
1. '문장'과 '형태'라는 단어를 활용하여 쓸 것
2. '……에 따라 나눴다.' 형식의 문장으로 쓸 것

도움말
품사를 나누는 기준에는 **❶**□□□, 기능, 의미가 있어. 문장에서 쓰일 때 (가)와 같이 형태가 변하는 단어를 **❷**□□□라고 하고, (나)와 같이 형태가 변하지 않는 단어를 불변어라고 해.

답 ❶ 형태 ❷ 가변어

04 다음 중 @~ⓒ에 대한 설명으로 적절하지 <u>않은</u> 것은?

• 저 @산은 징말 높다.
• 우리 중에 ⓑ그가 제일 크다.
• 둘이 먹다 ⓒ하나가 죽어도 모른다.

① @는 사물의 이름을 나타내는 단어이다.
② ⓑ는 사람의 이름을 나타내는 단어이다.
③ ⓒ는 사물의 수량이나 순서를 나타내는 단어이다.
④ @~ⓒ를 묶어서 체언이라고 한다.
⑤ @~ⓒ는 문장에서 사용될 때 형태가 변하지 않는다.

05 다음 품사들의 공통된 기능으로 적절한 것은?

명사	대명사	수사

① 문장에서 주로 서술어로 쓰인다.
② 문장에 쓰인 단어들의 관계를 나타낸다.
③ 문장에서 다른 말을 꾸며 주는 기능을 한다.
④ 문장에서 주로 주어나 목적어 등이 되는 자리에 온다.
⑤ 문장에서 다른 단어와 관계를 맺지 않고 독립적으로 쓰인다.

도움말

체언은 문장에서 격 조사와 결합하여 ❶ □□□, 목적어, 보어로 주로 쓰이고, 문장에서 쓰일 때 ❷ □□□가 변하지 않아.

답 ❶ 주어 ❷ 형태

06 ㉠~㉤ 중, 〈보기〉의 밑줄 친 설명에 해당하는 것은?

┤ 보기 ├

사람이나 사물 등의 이름을 나타내는 단어를 명사라고 한다. 명사에는 구체적인 대상의 이름을 나타내는 단어와 <u>추상적인 대상의 이름을 나타내는 단어</u>가 있다.

지민: 은우야, 이번 ㉠주말에 같이 ㉡영화 볼래?
은우: 좋아. ㉢준호도 부를까?
지민: 그래, 준호도 같이 보면 좋겠다. 내가 준호한테 연락해 볼게.
은우: 그럼 ㉣팝콘은 내가 살게!
지민: 응. 고마워. 준호한테 답장 오면 알려 줄게.
은우: 알았어. 그럼 ㉤극장에서 만나자.

① ㉠   ② ㉡   ③ ㉢
④ ㉣   ⑤ ㉤

07 〈보기〉에서 대명사를 모두 찾아 쓰시오.

┤ 보기 ├

현진: 장미가 예쁘게 피었네. 연수야, 이것 좀 봐.
연수: 정말 예쁘다. 나는 특히 붉은 장미가 좋아.
현진: 근처에 유명한 꽃길이 있는데, 우리 같이 가 볼래?
연수: 좋아. 거기가 어디야? 지금 가 보자.

08 다음 밑줄 친 단어가 무엇을 가리키는지 각각 쓰시오.

연지: 과학실에 왜 다녀왔어?
수현: <u>거기</u>에서 필통을 잃어버린 것 같아.

연지: <u>이것</u>이 너의 필통이야?
수현: 그것은 <u>나</u>의 필통이 아니야.

(1) 거기: _____

(2) 이것: _____

(3) 나: _____

09 다음 중 〈보기〉에서 설명하는 품사가 쓰이지 <u>않은</u> 문장은?

┌ 보기 ┐

사람이나 사물 등의 수량이나 순서를 나타낸다.

① 셋은 매우 친한 사이이다.

② 영민이는 형제 중에서 첫째야.

③ 우리 할머니는 딸 다섯을 낳으셨다.

④ 일과 일을 더하면 이가 되는 게 상식이야.

⑤ 정아는 우리 반에서 달리기가 제일 빠르다.

> **도움말**
>
> 사람이나 사물 등의 **❶**☐☐☐(하나, 둘, 일, 이 등)이나 순서 (첫째, 둘째 등)를 나타내는 말을 **❷**☐☐라고 해.
>
> 답 ❶ 수량 ❷ 수사

10 다음 게시판의 내용 중에서 ㉠, ㉡에 들어갈 알맞은 말을 쓰시오.

> **질문이 있어요!**
>
> 형용사와 동사는 모두 문장에서 쓰일 때 형태가 변하나요?
>
> ♥ ↗
>
> ↳ 맞아요. 형용사와 동사는 문장에서 쓰일 때 형태가 변하는데, 그것을 (㉠)(이)라고 해요.
>
> 형용사와 동사는 어떤 차이가 있나요?
>
> ↳ 형용사는 사람이나 사물의 상태나 성질을 나타내는 역할을 하고, 동사는 사람이나 사물의 (㉡)을/를 나타내는 역할을 해요.

• ㉠: _____ • ㉡: _____

11 〈보기〉의 밑줄 친 단어에 대한 설명으로 적절한 것은?

┌ 보기 ┐

지민이가 피자를 <u>먹는다</u>.

① 문장에서 동작의 주체를 나타낸다.

② 주체의 동작이나 움직임을 설명한다.

③ 뒤에 오는 단어를 꾸며 주는 역할을 한다.

④ 체언 뒤에 붙어 다른 말과의 문법적 관계를 나타낸다.

⑤ 문장에서 다른 단어와 관계를 맺지 않고 독립적으로 쓰인다.

> **도움말**
>
> 동사는 사람이나 사물 등의 **❶**☐☐을 나타내는 단어로 용언에 속해. 용언은 주로 **❷**☐☐의 자리에 쓰이며, 문장에서 주체의 움직임이나 상태, 성질 등을 설명하는 역할을 해.
>
> 답 ❶ 움직임 ❷ 서술어

12 다음 중 〈보기〉와 같이 활용을 할 수 있는 단어가 <u>아닌</u> 것은?

┌ 보기 ┐

• 기본형: 태호가 책을 읽다.

• 활용 ┌ 태호가 책을 읽는다.
　　　├ 태호야, 책을 읽자.
　　　└ 태호야, 책을 읽어라.

① 가다　　　② 씻다　　　③ 달리다

④ 보내다　　⑤ 깨끗하다

13 〈보기〉에서 알 수 있는 용언의 특성을 〈조건〉에 맞게 서술하시오.

┌ 보기 ┐
- 먹다 → 나는 김밥을 먹고, 내 동생은 라면을 먹었다.
- 높다 → 높고 높은 하늘이라 말들 하지만, 나에게는 높은 게 또 하나 있지.

┌ 조건 ┐
1. '활용'이라는 단어를 사용하지 말고 설명할 것
2. 25자 이내의 한 문장으로 쓸 것

도움말
용언인 동사와 **①**　　　가 문장에서 쓰일 때 쓰임에 따라 형태가 다양하게 변하는 것을 '**②**　　'이라고 해.
답 ❶ 형용사 ❷ 활용

14 다음 밑줄 친 단어 중에서 품사가 <u>다른</u> 하나는?

① <u>둥근</u> 달이 뒷산에 떴다.
② <u>따뜻한</u> 우유를 마시면 잠이 잘 <u>온다</u>.
③ <u>부지런한</u> 사람은 성공할 수밖에 없다.
④ 그는 <u>깜빡하고</u> 중요한 약속을 <u>잊었다</u>.
⑤ 다른 사람의 호의도 <u>받을</u> 줄 알아야 한다.

도움말
사람이나 사물의 움직임을 나타내는 단어는 **①**　　　, 상태나 성질을 나타내는 단어는 **②**　　야.
답 ❶ 동사 ❷ 형용사

15 다음 밑줄 친 용언의 활용이 적절하지 <u>않은</u> 이유를 〈보기〉와 같이 정리할 때, ㉠, ㉡에 들어갈 알맞은 말을 쓰시오.

- 내 동생 지금처럼 <u>착하자</u>.
- 할머니, 새해에도 <u>건강하세요</u>.

┌ 보기 ┐
'착하다'와 '건강하다'는 (㉠)(으)로, 청유형이나 (㉡)(으)로 활용할 수 없다.

16 다음 질문에 대한 댓글 내용이 적절하지 <u>않은</u> 사람의 이름을 쓰시오.

┌─────────────────────────────┐
│ **체언과 용언에 대해 좀 설명해 주세요!** 댓글ㅣ스크랩∨ │
│ 　　　　　　　　　　　　　　조회 000 │
│ 　체언과 용언에는 어떤 단어들이 있나요? 구체적 │
│ 인 예를 들어서 설명해 주세요.^^ │
│ 댓글　　　　　　　　파일 첨부ⓔㅣ인쇄ⓕㅣ신고ⓖ │
│ ↳ 정경: '이순신', '사랑', '칠판'처럼 사람이나 사물 │
│ 　　등의 이름을 나타내는 단어를 명사라고 해요. │
│ ↳ 지안: '하나', '둘', '첫째'처럼 사람이나 사물 등의 수 │
│ 　　량이나 순서를 나타내는 단어를 수사라고 해요. │
│ ↳ 현서: '저희', '이것', '여기'처럼 사람, 사물, 장소 │
│ 　　의 이름을 대신하여 나타내는 단어를 대명사 │
│ 　　라고 해요. │
│ ↳ 윤아: '가다', '웃다', '달리다'처럼 사람이나 사물 │
│ 　　등의 움직임을 나타내는 단어를 동사라고 해요. │
│ ↳ 주하: '좁다', '기쁘다', '멈추다'처럼 사람이나 사 │
│ 　　물 등의 상태나 성질을 나타내는 단어를 형용 │
│ 　　사라고 해요. │
│ 　　　　　　　　　　파일 첨부ⓔㅣ인쇄ⓕㅣ신고ⓖ │
└─────────────────────────────┘

대표 유형 ❶ 수식언의 종류 및 특성 이해하기

1 ㄱ~ㅁ 중, 〈보기〉의 설명에 해당하는 것은?

┌ 보기 ┐
- 문장에서 쓰일 때 형태가 변하지 않는다.
- 주로 용언 앞에서 용언을 꾸며 주는 역할을 한다.

┌─────────────────────┐
자전거가 우리 앞을 쌩쌩 지나간다.
　ㄱ　　ㄴ　ㄷ　　ㄹ　　　ㅁ
└─────────────────────┘

① ㄱ　　② ㄴ　　③ ㄷ　　④ ㄹ　　⑤ ㅁ

유형 해결 전략

수식언은 문장에서 다른 단어를 꾸며 주는 역할을 하며, 이 중 체언을 꾸며 주는 단어를 ❶[　　　], 주로 용언을 꾸며 주는 단어를 ❷[　　　]라고 한다.

답 ❶ 관형사 ❷ 부사

대표 유형 ❷ 관계언의 특성 이해하기

2 다음 중 관계언에 대한 설명으로 적절하지 <u>않은</u> 것은?

① 우리말의 관계언에는 조사가 있다.
② 문장에 쓰인 단어들의 관계를 나타낸다.
③ 홀로 쓰일 수 없고 다른 말에 붙어 쓰인다.
④ 모든 관계언은 문장에서 쓰일 때 형태가 변하지 않는다.
⑤ 다른 말에 붙어서 특별한 뜻을 더해 주는 경우도 있다.

유형 해결 전략

조사는 문장에 쓰인 단어들의 ❶[　　　]를 나타내므로 관계언이라고 한다. 일반적으로 조사는 문장에서 쓰일 때 형태가 변하지 않지만, 조사 중에서 '❷[　　　]'는 유일하게 형태가 변한다.

답 ❶ 관계 ❷ 이다

1-1 다음 밑줄 친 단어 중 관형사가 <u>아닌</u> 것은?

① 영수가 <u>새</u> 연필을 샀다.
② 저기 멀리 <u>헌</u> 집이 보인다.
③ <u>하얀</u> 눈이 도시를 뒤덮었다.
④ 봄이 오니, <u>온</u> 천지에 꽃이 피었다.
⑤ 동물원에는 코끼리 <u>한</u> 마리가 있었다.

2-1 다음 문장에서 관계언을 모두 찾아 쓰시오.

민재가 밥을 느긋하게는 먹었다.

1-2 〈보기〉의 밑줄 친 단어의 꾸밈을 받는 말을 차례대로 쓰시오.

너는 어떤 가수를 가장 좋아하니?

2-2 다음 중 다른 말 뒤에 붙어서 특별한 뜻을 더해 주는 단어가 쓰이지 <u>않은</u> 문장은?

① 어머니가 귤만 보냈다.
② 지호도 떡볶이를 먹었다.
③ 윤호가 어제 식당에 갔다.
④ 너마저 나를 실망시키다니.
⑤ 정현아, 수민이는 벌써 일어났어.

대표 유형 ❸ 독립언의 특성 이해하기

3 〈보기〉에서 독립언에 대한 설명으로 적절한 것을 모두 고른 것은?

┌ 보기 ┐
ㄱ. 문장에서 독립적으로 쓰인다.
ㄴ. 문장에서 쓰일 때 형태가 변하지 않는다.
ㄷ. 놀람, 반가움 등의 느낌, 부름, 대답 등을 나타낸다.
ㄹ. 용언 외에 다른 부사나 관형사, 문장 전체를 꾸며 준다.

① ㄱ 　② ㄱ, ㄹ 　③ ㄴ, ㄷ
④ ㄱ, ㄴ, ㄷ 　⑤ ㄴ, ㄷ, ㄹ

유형 해결 전략

감탄사는 놀람, 반가움 등의 ❶〔　　　〕, 부름이나 대답을 나타내는 단어이다. 감탄사는 문장에서 다른 말들에 얽매이지 않고 독립적으로 쓰이므로 ❷〔　　　〕이라고 한다.

🔑 ❶ 느낌 ❷ 독립언

3-1 〈보기〉의 밑줄 친 단어들에 대한 설명으로 적절하지 <u>않은</u> 것은?

┌ 보기 ┐
손님: <u>여보세요</u>, ○○ 식당이지요?
주인: <u>네</u>, 맞습니다.
손님: 배달 주문을 하려고요.
주인: <u>아</u>, 죄송합니다. 오늘은 식당이 쉬는 날입니다.
손님: <u>어머나</u>, 그래요.

[댓글]

↳ 경진: 문장에서 쓰일 때 형태가 변하지 않아. ········· ①
↳ 고은: '여보세요'는 말하는 사람이 다른 사람을 부르는 말이야. ······················· ②
↳ 하준: '네'는 다른 사람의 부름에 대답하는 말이야. ······························· ③
↳ 슬기: '아'와 '어머나'는 말하는 사람의 감정을 나타내는 말이야. ······················· ④
↳ 희재: 독립적으로 쓰이기 때문에 생략하면 문장이 성립하지 않아. ····················· ⑤

대표 유형 ❹ 단어를 품사별로 분류하기

4 ㉠과 ㉡의 품사를 올바르게 짝지은 것은?

┌─────────────────┐
│ • 모두가 여행을 떠났다.
│ 　㉠
│ • 철수가 소금을 <u>모두</u> 쏟았다.
│ 　　　　　　　㉡
└─────────────────┘

　　　㉠　　　　　㉡
① 명사　　　　동사
② 명사　　　　부사
③ 부사　　　　대명사
④ 부사　　　　감탄사
⑤ 대명사　　　부사

유형 해결 전략

같은 단어라도 문장에서 쓰임에 따라 품사가 달라질 수 있다. ㉠은 문장에서 ❶〔　　　〕 역할을 하면서 사람이나 사물 등의 이름을 나타내는 명사이고, ㉡은 뒤에 오는 동사인 '쏟았다'를 꾸며 주는 역할을 하는 ❷〔　　　〕이다.

🔑 ❶ 주어 ❷ 부사

4-1 ㉠~㉤의 품사로 적절하지 <u>않은</u> 것은?

┌─────────────────┐
│ 　와! 이 나무는 정말 크구나!
│ 　㉠ ㉡ 　 ㉢ 　㉣ 　 ㉤
└─────────────────┘

① ㉠: 감탄사　　　② ㉡: 관형사
③ ㉢: 명사　　　　④ ㉣: 부사
⑤ ㉤: 동사

4-2 ⓐ, ⓑ의 밑줄 친 단어의 품사를 의미를 기준으로 각각 쓰시오.

┌─────────────────┐
│ ⓐ 어제 <u>그</u> 사람을 만났니?
│ ⓑ 산속을 헤매다 <u>그</u>를 만났다.
└─────────────────┘

01 다음 중 수식언에 대한 설명으로 적절하지 않은 것은?

① 문장에서 쓰일 때 형태가 변하지 않는다.

② 관형사는 체언 앞에 놓여서 체언을 꾸며 준다.

③ 부사는 주로 용언 앞에 놓여서 용언을 꾸며 준다.

④ 홀로 쓰일 수 없고 반드시 다른 말에 붙어 쓰인다.

⑤ 주로 다른 말 앞에 놓여서 그 말을 꾸며 주는 역할을 한다.

02 다음 중 관형사가 쓰이지 않은 문장은?

① 아무 말도 하지 마!

② 모든 준비가 끝났어.

③ 나는 이 책을 좋아해.

④ 새로운 희망이 생겼어.

⑤ 너는 어떤 영화를 좋아하니?

> **도움말**
>
> 문장에서 뒤에 오는 **❶** 을 꾸며 주는 역할을 하지만,
> 문장에서 쓰일 때 형태가 변한다면 **❷** 가 아니야.
>
> 답 ❶ 체언 ❷ 관형사

03 다음 밑줄 친 단어의 품사가 나머지와 다른 하나는?

① 형, <u>같이</u> 가!

② 토끼가 <u>깡충깡충</u> 뛰어간다.

③ 오늘은 기분이 <u>무척</u> 좋구나!

④ 다음에는 내가 <u>꼭</u> 이길 거야.

⑤ <u>새</u> 신발을 신으니 기분이 좋다.

04 ㉠~㉤ 중, 다른 단어를 꾸며 주는 역할을 하는 품사를 모두 고른 것은?

> <u>저</u> <u>새가</u> <u>정말</u> <u>날쌔게</u> 날아간다.
> ㉠ ㉡   ㉢   ㉣   ㉤

① ㉠, ㉡   ② ㉠, ㉢   ③ ㉢, ㉣

④ ㉠, ㉢, ㉤   ⑤ ㉢, ㉣, ㉤

05 ⓐ~ⓔ 중, 수식언에 대해 나눈 대화 내용으로 적절하지 않은 것은?

지민아, 부사는 수식언이지?

맞아, ⓐ부사는 다른 말을 꾸며 주는 역할을 하는 수식언이야. 부사가 어떤 말을 꾸미는지 알아?

응. ⓑ부사는 주로 용언을 꾸며 줘.

ⓒ그런데 때에 따라 부사는 관형사나 다른 부사 혹은 문장 전체를 꾸미기도 해.

ⓓ'세율이가 매우 높이 뛰었다.'에서 '매우'는 부사인 '높이'를 꾸며 주는 부사이구나.

맞아. 특히 ⓔ부사는 어떤 말을 꾸미는가에 따라 형태가 변한다는 점도 잊지 마.

① ⓐ   ② ⓑ   ③ ⓒ

④ ⓓ   ⑤ ⓔ

06 〈보기〉의 밑줄 친 단어에 대한 설명으로 적절하지 않은 것은?

┌ 보기 ┐
그는 매우 모범적인 학생<u>이다</u>.
└────┘

① 문장에서 홀로 쓰이기도 한다.

② 주로 체언 뒤에 붙는 조사이다.

③ 문장에 쓰일 때 형태가 변한다.

④ 기능에 따라 분류할 때 관계언에 해당한다.

⑤ '이고, 이면, 이라서, 이네' 등으로 활용한다.

07 (가)와 (나)의 의미를 다르게 만드는 단어를 모두 찾고, 그 단어의 품사를 쓰시오.

⑦ 개미가 사자를 꽉 물었다.

⑭ 사자가 개미를 꽉 물었다.

(1) 의미를 다르게 만드는 단어: _____

(2) 품사: _____

도움말
(가)와 (나)는 같은 단어로 구성된 문장이지만, **❶**[   ]인 '가'와 '를'의 위치가 바뀌면서 문장의 **❷**[   ]가 달라졌어.
답 ❶ 조사 ❷ 의미

08 ㉠~㉤ 중, 앞말에 특별한 뜻을 더해 주는 조사가 아닌 것은?

진경: 은주야! 점심으로 짜장면㉠은 어때?

은주: 그래 좋아. 그런데 짜장면㉡만 시킬 거야?

진경: 물론 탕수육㉢도 시켜야지.

은주: 좋아. 수민이 것도 주문할까?

진경: 그래, 수민이㉣는 볶음밥㉤을 제일 좋아하니까 그걸로 주문하자.

① ㉠   ② ㉡   ③ ㉢

④ ㉣   ⑤ ㉤

도움말
조사에는 체언 뒤에 붙어서 다른 말과의 문법적 관계를 나타내 주는 **❶**[   ]('이/가', '께서', '을/를' 등)와 앞말에 특별한 뜻을 더해 주는 **❷**[   ]('도', '만', '조차', '마저' 등)가 있어.
답 ❶ 격 조사 ❷ 보조사

09 다음 밑줄 친 조사 중, 앞말에 〈보기〉와 같은 뜻을 더해 주는 것은?

┌ 보기 ┐
다른 것으로부터 제한하여 어느 것을 한정함.
└────┘

① 준서<u>가</u> 물을 마셨다.

② 준서<u>는</u> 물을 마셨다.

③ 준서<u>만</u> 물을 마셨다.

④ 준서<u>도</u> 물을 마셨다.

⑤ 준서<u>마저</u> 물을 마셨다.

10 다음 밑줄 친 단어 중 〈보기〉의 설명에 해당하는 것은?

┌ 보기 ┐
- 느낌, 부름, 대답 등을 나타냄.
- 문장에서 생략해도 문장이 성립함.
- 문장에서 다른 단어와 관계를 맺지 않음.

① 나는 <u>헌</u> 책을 모은다.
② 난 너를 <u>진짜</u>로 좋아해.
③ 내가 정신을 <u>못</u> 차리겠어.
④ <u>우아</u>, 드디어 바다에 도착했다!
⑤ <u>바로</u> 그거야. 내가 찾던 물건이.

11 ㉠~㉤ 중, 놀람이나 반가움 등의 느낌, 부름이나 대답을 나타내는 단어가 <u>아닌</u> 것은?

엄마: ㉠<u>주현아</u>!
주현: ㉡<u>네</u>, 저 부르셨어요?
엄마: 내일 체험 학습 간다고 했지? 가방 다 쌌니?
주현: ㉢<u>아</u>, 카메라를 깜빡했네요. 친구들과 사진 많이 찍어 올게요.
아빠: ㉣<u>오</u>, 그래도 카메라 말고는 우리 아들이 짐을 잘 챙겼네. ㉤<u>여보</u>, 우리 주현이 다 컸네요.
주현: 그럼요, 저도 이제 중학생이잖아요.

① ㉠   ② ㉡   ③ ㉢
④ ㉣   ⑤ ㉤

┌ 도움말 ┐
'주현아'는 얼핏 보기에는 부름을 나타내는 감탄사처럼 보이지만, '주현'이라는 ❶[   ]와 '아'라는 격 ❷[   ]가 결합한 말이야.

답 ❶ 명사 ❷ 조사

12 다음 밑줄 친 감탄사의 의미가 <u>잘못</u> 짝지어진 것은?

① <u>앗</u>! 뜨거워. → 놀람
② <u>야</u>, 같이 가자. → 부름
③ <u>응</u>, 여기 있어. → 대답
④ <u>어머</u>! 정말 멋지다. → 느낌
⑤ <u>아</u>! 갑자기 배가 고프네. → 부름

13 ㉠, ㉡의 품사와 문장에서 하는 역할을 〈조건〉에 맞게 서술하시오.

- 아버지가 동생에게 인형 ㉠<u>하나</u>를 주셨다.

- 나는 작은 고양이를 ㉡<u>한</u> 마리 키우고 있다.

┌ 조건 ┐
1. ㉠과 ㉡의 품사를 밝힐 것
2. '㉠은 …… 역할을 하고, ㉡은 …… 역할을 한다.' 형식의 문장으로 쓸 것

14 다음 중 밑줄 친 단어의 품사가 같은 것끼리 짝지어진 것은?

① ┌ 어제 <u>그</u>를 만났다면서?
  └ 응, 내 친구와 <u>둘</u>이 같이 있더라.

② ┌ 1반은 칠판이 <u>깨끗하네</u>.
  └ 제가 쉬는 시간에 <u>깨끗이</u> 지웠어요.

③ ┌ <u>이민수</u>! 정말 오랜만이다.
  └ <u>우아</u>, 이게 누구야?

④ ┌ 그는 적군 <u>열</u>을 모두 물리쳤어.
  └ 맞아. <u>한</u> 명이 모두를 무찌르다니, 대단해.

⑤ ┌ 어제 있었던 일<u>조차</u> 기억이 나지 않아.
  └ 중요한 기억<u>이라면</u> 생각이 날 거야.

15 다음 밑줄 친 단어들의 공통점으로 적절한 것은?

> • 구름 사이로 <u>파란</u> 하늘이 보였다.
> • 민호는 버스의 맨 앞자리에 <u>앉았다</u>.
> • 윤서가 주문한 것은 볶음밥<u>이다</u>.

① 문장에서 사용할 때 형태가 변한다.
② 다른 단어를 꾸며 주는 역할을 한다.
③ 다른 말에 붙어서 문법적 관계를 나타낸다.
④ 문장에서 주체의 움직임이나 상태, 성질 등을 설명한다.
⑤ 문장에서 홀로 쓰일 수 없고 반드시 다른 말에 붙어 쓰인다.

> **도움말**
> '파란(파랗다)'은 형용사, '앉았다(앉다)'는 **❶**〔   〕, '이다'는 조사로 서로 품사는 다르지만, 모두 문장에서 사용될 때 쓰임에 따라 그 **❷**〔   〕가 변해.
>
> 답 ❶ 동사 ❷ 형태

16 ㉠~㉤의 품사가 바르게 연결되지 <u>않은</u> 것은?

> 김 선생은 우스갯소리를 잘했다.
> ㉠<u>어느</u> 날 김 선생이 친구의 집에 방문한 적이 있었다. 주인이 술상을 차렸는데, 안주가 ㉡<u>푸성귀</u>와 나물뿐이었다.
> 주인이 먼저 미안해하며 말하는 것이었다.
> "집이 ㉢<u>가난하고</u> 시장마저 멀다네. 맛난 안주는 전혀 없고 맛없고 싱거운 것뿐일세. 그저 부끄러울 따름일세."
> 그때 마침 뜰에서 닭이 무리를 지어 어지럽게 모이를 쪼아 먹고 있었다.
> 김 선생이 그에게 말하였다.
> "㉣<u>여보게</u>, 사내대장부는 천금을 아끼지 않는 법이네. 내가 타고 온 말을 잡아서 안주를 장만하게."
> "하나뿐인 말을 잡으라니? 무엇을 타고 돌아가려는가?"
> "나야 닭 타고 가면 되지."
> 김 선생의 대답에 주인은 크게 ㉤<u>웃었다</u>. 그러고 나서 곧장 닭을 잡아 대접하였다. 둘은 닭을 안주 삼아 실컷 놀았다.

> – 서거정, 〈닭 타고 가면 되지〉

① ㉠: 관형사   ② ㉡: 명사   ③ ㉢: 형용사
④ ㉣: 대명사   ⑤ ㉤: 동사

01 〈보기〉의 문장에 쓰인 단어를 (가)~(마)와 같이 분류할 때, 그 기준으로 적절한 것은?

┌ 보기 ─────────────

와! 저기에 보이는 저 산이 매우 높다.
└────────────────

(가)	(나)	(다)	(라)	(마)
저기, 산	보이는, 높다	저, 매우	에, 이	와

① 문장에서 홀로 쓰일 수 있는가?
② 문장에서 쓰일 때 형태가 변하는가?
③ 문장에서 쓰일 때 어떤 기능을 하는가?
④ 문장에서 쓰일 때 규칙적으로 활용하는가?
⑤ 문장에서 쓰일 때 어떤 의미를 나타내는가?

02 〈보기〉에 쓰인 단어를 다음과 같이 분류할 때, ㉠~㉢에 들어갈 말이 바르게 짝지어진 것은?

┌ 보기 ─────────────
민수는 옛 사진을 찾아서 아주 기쁘다.
└────────────────

형태가 변하는 단어	㉠
다른 말을 꾸며 주는 단어	㉡
사람이나 사물의 이름을 나타내는 단어	㉢

	㉠	㉡	㉢
①	민수	옛	찾아서
②	사진	아주	기쁘다
③	아주	사진	찾아서
④	기쁘다	사진	옛
⑤	찾아서	아주	민수

03 다음 문장에서 체언을 모두 찾아 쓰시오.

┌────────────────
저기를 보면 공원이 보이지요. 선생님과 함께 넷이 같이 산책을 갈까요?
└────────────────

04 ㉠~㉢의 공통점에 대한 설명으로 적절한 것은?

┌────────────────
큰 나라에서 온 거만한 사신이 궁궐을 구경했어. 사신은 왕비가 머무는 궁을 가리키며 물었지.
"저 집은 짓는 데 얼마나 걸렸소?"
"예, 일 년 걸렸습니다."
"쯧쯧, 일 년이나 걸리다니."
나는 ㉠그의 태도가 무척 거슬렸지만 꾹 참았어. 이번에는 불가사리가 새겨진 크고 화려한 굴뚝을 가리키며 물었지.
"그러면 ㉡저것은 만드는 데 얼마나 걸렸소?"
"예, 한 달 만에 완성했지요."
"허허, 우리 나라에서는 열흘이면 되는데."
이번에는 사신이 연못가에 있는 아름다운 누각을 보고 물었지.
"이 누각은 만드는 데 얼마나 걸렸소?"
그의 말이 끝나자 나는 깜짝 놀라는 표정으로 말했어.
"이 누각이 언제부터 ㉢여기 있었지? 분명 어제는 없었는데."
– 교육 과학 기술부, 《중학교 국어 2-1》
└────────────────

① 사람이나 사물 등의 이름을 나타낸다.
② 문장에서 쓰일 때 형태가 다양하게 변한다.
③ 사람이나 사물 등의 수량이나 순서를 나타낸다.
④ 사람이나 사물, 장소의 이름을 대신하여 나타낸다.
⑤ 홀로 쓰일 수 없고 반드시 다른 말에 붙어 쓰인다.

05 〈보기〉에서 다음 밑줄 친 단어에 대한 설명으로 알맞은 것을 모두 고른 것은?

너희 할머니 여전히 건강하시지?

응, 여전히 기력이 좋으셔.

┌ 보기 ┐
ㄱ. 문장에서 쓰일 때 형태가 변한다.
ㄴ. 사람이나 사물의 움직임을 나타낸다.
ㄷ. 부사 '여전히'의 꾸밈을 받는 말이다.
ㄹ. 명령형이나 청유형으로 활용할 수 없다.

① ㄱ, ㄴ   ② ㄴ, ㄷ
③ ㄴ, ㄹ   ④ ㄱ, ㄴ, ㄷ
⑤ ㄱ, ㄷ, ㄹ

06 ㉠~㉣에 대한 설명으로 적절하지 않은 것은?

경준: 우아, 영화관이 정말 ㉠넓네.
민경: 응. 새 건물이라 엄청 ㉡깨끗해.
경준: 영화 ㉢시작하기 전에 얼른 ㉣들어가자.

① ㉠, ㉡은 명령형으로 활용할 수 없다.
② ㉠, ㉡은 사물의 상태나 성질을 나타낸다.
③ ㉢, ㉣은 청유형으로 활용할 수 있다.
④ ㉠~㉣은 모두 용언에 속한다.
⑤ ㉠~㉣은 문장에서 쓰일 때 형태가 변하지 않는다.

07 다음 밑줄 친 단어 중 문장에서 쓰일 때 형태가 변하지 않는 것은?

① 언덕 위에 하얀 집이 보여.
② 누가 제일 먼저 집에 도착했니?
③ 도둑이 골목을 빠르게 빠져나갔어.
④ 의자에 반듯이 앉아서 수업을 들어라.
⑤ 아침에 나 좀 깨워 주지. 지각하고 말았잖아.

08 ⓐ, ⓑ의 공통점과 차이점을 〈조건〉에 맞게 서술하시오.

• ⓐ옛 사진을 보니 추억이 떠올랐다.
• 지수는 ⓑ천천히 걸어서 학교에 갔다.

┌ 조건 ┐
1. (1)은 ⓐ, ⓑ가 문장에서 하는 기능을 중심으로 쓸 것
2. (2)는 ⓐ, ⓑ의 품사를 밝히면서 설명할 것

(1) 공통점: _____
(2) 차이점: _____

09 다음 밑줄 친 단어 중 수식언이 아닌 것은?

① 저 떡볶이는 무척 맵다.
② 오늘은 아침에 한 사람이 왔다.
③ 어제 왔던 모두가 아침에 떠났다.
④ 내가 가진 모든 것을 전부 주었다.
⑤ 이 산은 경치가 눈부시게 아름답다.

10 ㉠, ㉡이 문장에서 어떤 역할을 하는지 각각 한 문장으로 서술하시오.

> 그가 드디어 그 일을 해냈다.
>   ㉠   ㉡

- ㉠: _____
- ㉡: _____

11 다음 중 수식언이 쓰이지 <u>않은</u> 문장은?

① 그 사람은 빵을 좋아한다.
② 아직 한 명이 오지 않았다.
③ 우리 함께 열심히 공부하자.
④ 경수야, 손을 깨끗이 씻어라.
⑤ 앞마당에 꽃이 예쁘게 피었다.

12 ⓐ~ⓔ에 대한 설명으로 적절하지 <u>않은</u> 것은?

> 그 가게<u>에서</u> 동생<u>이</u> 사 온 빵<u>도</u> 지호<u>가</u> 좋아하는
>   ⓐ   ⓑ   ⓒ   ⓓ
> 빵<u>이다.</u>
> ⓔ

① ⓐ: 체언 뒤에 붙어서 다른 말과의 문법적 관계를 나타낸다.
② ⓑ: 앞의 단어가 주어임을 나타낸다.
③ ⓒ: 앞말에 특별한 뜻을 더해 주는 역할을 한다.
④ ⓓ: 상황에 따라 홀로 쓰이기도 한다.
⑤ ⓔ: 문장에서 쓰일 때 형태가 변한다.

13 다음 중 부사의 꾸밈을 받는 말을 <u>잘못</u> 표시한 것은?

① 드론이 매우 <u>높이</u> 날아올랐다.
② 철민이가 너무 <u>헌</u> 옷을 버렸다.
③ 너는 어떤 과일을 가장 <u>좋아하니</u>?
④ 과연 그는 이 문제를 풀 수 <u>있을까</u>?
⑤ 경치가 몹시 <u>아름다워서</u> 눈을 뗄 수가 없어.

14 다음 대화에서 〈보기〉의 설명에 해당하는 단어를 모두 찾아 쓰시오.

> 민호: 야호, 드디어 약속 장소에 다 왔다. 어, 지희다. 지희야, 같이 가자.
> 지희: 민호구나. 그래, 빨리 와. 같이 가자.

> ─ 보기 ├
> • 문장에서 다른 단어와 관계를 맺지 않고 독립적으로 쓰임.
> • 놀람, 반가움 등의 느낌, 부름, 대답을 나타냄.

15 ㉠과 ㉡의 품사를 각각 쓰시오.

야, 여긴 어쩐 일이야?
㉠

어, 시우야, 오랜만이네.
㉡

- ㉠: _____
- ㉡: _____

16 다음 밑줄 친 단어의 품사가 바르지 <u>않은</u> 것은?

> 요리법 (15)   본론 열기 ▽
>
> ### 달걀말이 만드는 방법
>
> <u>첫째</u>, 달걀 5개에 소금과 썰어 놓은 당근과 대파를 넣고 젓가락으로 저어서 잘 섞어 주세요.
>
> 둘째, 달군 팬에 기름을 두른 뒤 재료를 붓고 <u>약한</u> 불에서 익혀 주세요.
>
> 셋째, 팬을 약간 기울이고 가장자리가 살짝 익으면 <u>그</u> 부분만 말아 주세요.
>
> 넷째, 달걀을 익히면서 끝까지 말아 올려 <u>달걀말이</u>를 완성하세요.
>
> 끝<u>으로</u>, 먹기 좋게 썰어 주면 완성!

① 첫째 – 수사   ② 약한 – 동사

③ 그 – 관형사   ④ 달걀말이 – 명사

⑤ 으로 – 조사

17 ㉠~㉤에 대한 설명으로 적절하지 <u>않은</u> 것은?

> 나는 쌀 한 가마니 드는 것도 너무 어렵다.
>   ㉠   ㉡   ㉢ ㉣ ㉤

① ㉠과 ㉣은 문장에서 다른 단어를 꾸며 준다.

② ㉡은 명령형이나 청유형으로 활용할 수 없다.

③ ㉢은 특별한 뜻을 더해 주는 조사이다.

④ ㉣은 용언을 꾸며 주는 부사이다.

⑤ ㉤은 사람이나 사물의 상태나 성질을 나타내는 형용사이다.

[18~19] 다음 글을 읽고, 물음에 답하시오.

집에서 쫓겨난 가믄장 아기는 고개를 넘고 넘었어. 그러다 날도 저물고 발도 아파 쉴 ㉠곳을 찾았지. 때마침 허름한 오두막집을 본 가믄장 아기는 ⓐ그곳에서 하룻밤 신세를 지기로 했어.

"㉡여보시오, 지나가는 사람인데 ⓑ여기에서 하룻밤 묵어 갈 수 있을까요?"

가믄장 아기의 말에 집주인이 말했어.

"이 집엔 아들만 삼 형제가 있어 묵을 방이 없습니다. 혹시 부엌이라도 좋다면 그렇게 하시지요."

[중략]

삼 형제는 부엌으로 들어와 마를 삶았어. 그런데 큰아들은 마의 양 끝을 떼어 부모님께 드리고, 가운데 ㉢맛있는 부분은 자신이 다 먹었지. 둘째 아들도 마찬가지였어. 한데 막내아들은 그것을 푹 삶아 가운데 부분은 부모님께 드리고 ㉣자신은 꼬리를 먹었어.

삼 형제가 하는 행동을 가만히 지켜보고 있던 가믄장 아기는 막내아들에게 시집을 가기로 했어. 물론 그 역시 흔쾌히 가믄장 아기를 색시 삼기로 했지. 그래서 그날 밤 둘은 찬물 ㉤한 그릇을 떠 놓고 달빛 아래에서 혼례식을 올렸어.

– 우리누리, 〈가믄장 아기〉

---

18 ㉠~㉤에 대한 설명으로 적절하지 <u>않은</u> 것은?

① ㉠: 문장에서 쓰일 때 형태가 변하지 않는다.

② ㉡: 문장에서 독립적으로 쓰인다.

③ ㉢: 청유형으로 활용할 수 없다.

④ ㉣: 사람의 이름을 대신하여 가리키는 대명사이다.

⑤ ㉤: 뒤에 오는 말을 꾸며 주는 역할을 한다.

19 ⓐ, ⓑ가 공통적으로 가리키는 대상을 이 글에서 찾아 2어절로 쓰시오.

[01~02] 다음 표를 보고, 물음에 답하시오.

품사 분류 기준			단어
형태	㉠	의미	
가변어	용언	동사	
		형용사	
㉡	체언	명사	
		대명사	
		수사	
	㉢	관형사	ⓐ
		부사	
	관계언	조사	
	독립언	감탄사	

01 ㉠~㉢에 들어갈 알맞은 말을 차례대로 쓰시오.

• ㉠: _____ • ㉡: _____

• ㉢: _____

도움말

품사는 형태, 기능, ❶_____ 에 따라 나눌 수 있으며, 형태 변화 유무에 따라 가변어와 불변어로, 문장에서 하는 기능에 따라 체언, 용언, 수식언, 관계언, ❷_____ 으로 나눌 수 있어.

탭 ❶ 의미 ❷ 독립언

02 〈보기〉에서 ⓐ에 해당하는 단어를 모두 찾아 쓰시오.

보기

정윤: 현서야, 〈오, 나의 단짝〉이라는 영화 봤니?

현서: 응. 어릴 적 친구 두 명이 우연히 만나서, 옛 추억을 떠올린다는 내용이야.

도움말

관형사는 ❶_____ 앞에 놓여서 체언을 꾸며 주는 단어야. 관형사는 수식언으로, 문장에서 쓰일 때 ❷_____ 가 변하지 않아.

탭 ❶ 체언 ❷ 형태

03 다음 대화에서 ㉠~㉢이 가리키는 대상을 각각 찾고, 이들의 공통된 품사를 쓰시오.

준우야, ㉠너 혹시 지금 공원에 있니?

응. 나 ㉡거기서 자전거 타고 있어. 너도 빨리 인라인스케이트 챙겨서 와.

알았어. ㉢그거 챙겨서 거기로 빨리 갈게.

📷 _____ 전송

• ㉠: _____ • ㉡: _____

• ㉢: _____ • ㉠~㉢의 품사: _____

도움말

사람이나 사물, 장소의 ❶_____ 을 대신하여 나타내는 단어를 대명사라고 해. ❷_____ 가 무엇을 가리키고 있는지를 파악하려면 상황이나 문맥을 잘 살펴봐야 해.

탭 ❶ 이름 ❷ 대명사

04 다음 밑줄 친 단어의 품사가 바르지 않은 것은?

① 너는 손이 참 작구나. → 형용사

② 우리는 강에 함께 갔다. → 명사

③ 서희가 사과를 하나 샀다. → 수사

④ 어이쿠, 정우가 실수를 했구나! → 명사

⑤ 골짜기에서 강물이 천천히 흐른다. → 동사

도움말

명사는 사람이나 사물 등의 ❶_____ 을 나타내는 단어이고, 대명사는 사람이나 사물, 장소의 이름을 ❷_____ 하여 나타내는 단어야.

탭 ❶ 이름 ❷ 대신

05 다음 그림을 보고 나눈 대화 내용으로 적절하지 <u>않은</u> 것은?

① 동미: 제시된 단어는 모두 문장에서 쓰일 때 쓰임에 따라 형태가 변해.

② 정수: '날다', '읽다', '웃다'는 사람이나 사물 등의 움직임을 나타내는 동사야.

③ 호준: '푸르다', '맑다', '맛있다'는 현재형이나 청유형, 명령형으로 활용할 수 없어.

④ 유진: '푸르다', '맑다', '맛있다'는 사람이나 사물 등의 상태나 성질을 나타내는 형용사야.

⑤ 서빈: 동사와 형용사를 묶어서 용언이라고 하는데, 문장에서 격 조사와 결합하여 주어, 목적어, 보어로 주로 쓰여.

06 다음 국어사전의 내용 중 ⓐ, ⓑ에 들어갈 수 있는 문장으로 적절한 것은?

> 모두[모두]
> [Ⅰ] 「명사」 일정한 수효나 양을 기준으로 하여 빠짐이나 넘침이 없는 전체.
> 예문: (　　　　　ⓐ　　　　　)
> [Ⅱ] 「부사」 일정한 수효나 양을 빠짐없이 다.
> 예문: (　　　　　ⓑ　　　　　)

① ⓐ: 그릇에 담긴 소금을 모두 쏟았다.

② ⓐ: 인원을 모두 합하여도 백 명이 안 된다.

③ ⓑ: 이번에 벌어진 일은 모두에게 책임이 있다.

④ ⓑ: 누가 새 장관이 되느냐는 모두의 관심사였다.

⑤ ⓑ: 그는 평생 모은 돈을 모두 고아원에 기부했다.

07 ㄱ, ㄴ의 의미 차이를 만든 단어를 모두 찾고, 그 단어가 문장에서 어떤 역할을 하는지 쓰시오.

> ㄱ. 여자 주인공이 남자 주인공을 등에 업었다.
> ㄴ. 여자 주인공을 남자 주인공이 등에 업었다.

(1) 의미 차이를 만든 단어: ＿＿＿＿＿＿＿＿＿＿

(2) 문장에서의 역할: ＿＿＿＿＿＿＿＿＿＿

08 ⓐ, ⓑ의 품사를 각각 쓰고, 문장에서 하는 역할을 쓰시오.

ⓐ새 자전거가 ⓑ쌩쌩 지나간다.

(1) ⓐ의 품사: _____

(2) ⓑ의 품사: _____

(3) 문장에서의 역할: _____

> **도움말**
> '새'와 같이 체언을 꾸며 주는 단어를 **❶**____, '쌩쌩'과 같이 주로 용언을 꾸며 주는 단어를 부사라고 해. 관형사와 부사는 **❷**____으로, 문장에서 다른 단어를 꾸며 주는 역할을 해.
>
> **답 ❶** 관형사 **❷** 수식언

09 다음 문장에서 〈보기〉의 조건을 모두 만족하는 단어를 찾아 쓰시오.

> 그곳에서 바라본 산이 너무 아름다웠다. 게다가 오른편에 보이는 바다도 절경이었다.

| 보기 |
[조건 1] 다른 말에 붙어 그 말과 다른 말의 문법적 관계를 나타낸다.
[조건 2] 문장에서 쓰일 때 형태가 변한다.

> **도움말**
> 다른 말에 붙어 그 말과 다른 말의 문법적 관계를 나타내는 단어를 **❶**____라고 해. 일반적으로 조사는 문장에서 쓰일 때 **❷**____가 변하지 않지만 예외인 경우도 있어.
>
> **답 ❶** 조사 **❷** 형태

10 〈보기〉를 참고할 때, 다음 중 밑줄 친 용언의 기본형으로 적절하지 않은 것은?

| 보기 |

| 기본형 '읽다' | ➡ | • 지우가 책을 읽는다.
• 지우가 책을 읽니?
• 지우야, 책을 읽자.
• 지우야, 책을 읽어라. |

① 유빈이가 경기를 이겼다. → 이기다
② 토끼가 호랑이에게 잡혔다. → 잡다
③ 자전거를 타고 도서관에 갔다. → 가다
④ 비가 많이 와서 강이 넘쳤다. → 넘치다
⑤ 할아버지께서 방에서 주무신다. → 주무시다

> **도움말**
> 〈보기〉를 살펴보면 용언의 **❶**____은 용언이 **❷**____할 때 변하지 않는 부분에 '-다'를 붙인 형태임을 알 수 있어.
>
> **답 ❶** 기본형 **❷** 활용

11 ㉠과 ㉡의 품사를 차례대로 쓰시오.

> 구름같이 흰 솜사탕을 동생과 같이 먹었다.
>   ㉠   ㉡

• ㉠: _____   • ㉡: _____

> **도움말**
> 어원이 같은 단어라도 문장에서 어떻게 쓰이느냐에 따라 **❶**____가 달라져. '같이'는 문장에서 어떤 역할을 하는지에 따라 조사로도 쓰이고 **❷**____로도 쓰여.
>
> **답 ❶** 품사 **❷** 부사

12 다음 대화에서 ⊙～ⓒ에 들어갈 알맞은 단어를 모두 찾아 쓰시오.

> 로봇: 자, 지금부터 아래 문장에 쓰인 단어 중에 당신이 생각하고 있는 단어를 맞혀 보겠습니다. 단어를 하나 고른 뒤에 제 질문에 답을 하세요.
>
> > 우아, 정수가 춤을 멋지게 추네.
>
> 로봇: 첫 번째 질문입니다. 당신이 생각한 단어는 놀람이나 반가움 등의 느낌을 나타내는 단어인가요?
>
> 손님: 아니요.
>
> 로봇: 좋아요. 그럼 '(⊙)'은/는 제외해야겠군요. 두 번째 질문입니다. 당신이 생각한 단어는 문장에서 쓰일 때 형태가 변하나요?
>
> 손님: 예.
>
> 로봇: 좋아요. 그럼 당신이 생각한 단어는 '(ⓛ)' 중에 하나겠군요. 마지막 질문입니다. 당신이 생각한 단어는 명령형으로 활용할 수 있나요?
>
> 손님: 네.
>
> 로봇: 알겠어요. 당신이 생각한 단어는 '(ⓒ)' (이)고 품사는 동사입니다. 맞지요?
>
> 손님: 네, 맞아요.

• ⊙: _____

• ⓛ: _____

• ⓒ: _____

도움말

로봇의 첫 번째 질문은 **❶**[   ], 두 번째 질문은 문장에서 쓰일 때 쓰임에 따라 형태가 변하는 동사와 형용사, 마지막 질문은 **❷**[   ]와 관련 있어.

답 ❶ 감탄사 ❷ 동사

13 〈보기〉의 밑줄 친 단어들의 품사를 다음과 같이 분류하시오.

보기

체언	명사	(1)
	대명사	(2)
	수사	(3)
용언	동사	(4)
	형용사	(5)
수식언	관형사	(6)
	부사	(7)
관계언	조사	(8)
독립언	감탄사	(9)

도움말

밑줄 친 단어들이 문장에서 어떤 **❶**[   ]을 하는지, 어떤 **❷**[   ]적 특성이 있는지 살펴보면서 품사를 분류해 봐.

답 ❶ 기능 ❷ 의미

3^주 어휘의 체계와 양상

우리말 어휘에는 어떤 것이 있을까?

국어사전에 51만 개나 되는 단어가 실려 있다는데 놀랍지 않아? 우리가 그렇게 많은 단어를 사용하고 있다니.

수많은 단어 중에는 공통된 특성을 지닌 것들도 있고, 특정한 의미 관계를 맺고 있는 것들도 있어.

딸기 우유 볼펜 쥘리엔 개 정구지 이르다

어휘의 체계

우리말 어휘는 단어의 뿌리에 따라 고유어, 한자어, 외래어로 나눌 수 있어.

고유어	한자어	외래어
바지	책상	버스
딸기	모자	볼펜
거울	우유	피아노

공부할 내용	❶ 어휘의 체계 이해하기	❸ 유의어와 반의어, 상의어와 하의어 이해하기
	❷ 지역 방언과 사회 방언 이해하기	❹ 다의어와 동음이의어 이해하기

어휘의 양상

지역적, 사회적 요인에 따라 지역 방언과 사회 방언이 쓰이기도 해.

지역 방언

같이 부추전 먹자.

난 정구지 별로야.

사회 방언

양파와 오이는 쥘리엔으로, 당근은 콩카세로 썰어 주세요.

네, 셰프!

어휘의 의미 관계

단어들의 의미 관계에 따라 어휘의 양상이 다양하게 나타나.

상의어와 하의어

과일

사과   감   배

유의어와 반의어

빠르다

잽싸다

느리다

＊ 어휘의 체계와 양상을 이해하면 상황에 맞는 어휘와 표현을 활용할 수 있어요.

개념 01 어휘의 체계 ① – 고유어

- **고유어:** 우리말에 본디부터 있던 말이나 이것에 기초하여 새로 만들어진 말 **예** 구름, 하늘, 떡, 마음
- 촉감, **❶[　　]**, 맛, 모양, 소리 등을 생생하게 표현함.

교과서 예	
색깔	붉다, 빨갛다, 새빨갛다, 시뻘겋다, 불그스름하다
맛	달다, 달콤하다, 달큼하다, 다디달다, 달짝지근하다

- 우리 민족의 고유한 **❷[　　]**와 정서를 잘 표현함.

교과서 예	
문화	그네, 부럼, 씨름, 달맞이, 강강술래
정서	아쉽다, 서운하다, 섭섭하다, 시원섭섭하다

답 ❶ 색깔 **❷** 문화

확인 01 다음 중 고유어가 아닌 것은?

① 그네　② 마음　③ 학교　④ 달다　⑤ 아쉽다

개념 02 어휘의 체계 ② – 한자어

- **한자어:** 한자를 바탕으로 만들어진 말
  예 책상(冊床), 안경(眼鏡), 교실(敎室), 대화(對話)
- 대개 고유어보다 분화된 의미를 지니고 있어서 고유어를 **❶[　　]**함.

교과서 예	
고치다	• 고장 난 자전거를 고치다. → 수리(修理)하다 • 서류의 잘못된 부분을 고치다. → 수정(修訂)하다 • 현아가 병원에서 병을 고치다. → 치료(治療)하다

- 고유어보다 높임의 의미를 지니거나 **❷[　　]**적인 개념을 나타내기도 함.

답 ❶ 보완 **❷** 전문

확인 02 다음 중 한자어가 아닌 것은?

① 책상　② 교실　③ 대화　④ 연세　⑤ 하늘

개념 03 어휘의 체계 ③ – 외래어

- **외래어:** 다른 나라에서 들어온 말 가운데 **❶[　　]**처럼 쓰이는 말 **예** 티셔츠, 피아노, 스마트폰, 세일
- 외국 **❷[　　]**와의 접촉을 통해 들어와 우리말 어휘를 보충해 주며, 새말을 만들지 않는 이상 고유어로 대체하기 어려움.
- 새로운 개념이나 문물이 지속적으로 들어오면서 외래어의 수도 점점 늘어나고 있음.

답 ❶ 우리말 **❷** 문화

확인 03 〈보기〉에서 외래어를 모두 찾아 O 표시를 하시오.

보기	
주머니　피아노　파랗다　스마트폰	

개념 04 표준어와 방언의 개념

- **표준어:** 한 나라에서 **❶[　　]**로 쓰도록 규범으로 정한 언어로, 우리나라에서는 '교양 있는 사람들이 두루 쓰는 현대 서울말'을 표준어로 정함.

표준어의 특성	• 모든 사람과 원활하게 의사소통할 수 있음. • 공식적인 상황에서 사용하기에 적절함.

- **방언:** 한 언어에서 사용 지역이나 사회 계층에 따라 분화된 말로, **❷[　　]** 방언과 사회 방언이 있음.

답 ❶ 공용어 **❷** 지역

확인 04 다음 문장의 괄호 안에서 알맞은 말을 고르시오.

(1) (표준어, 방언)은/는 한 언어에서 사용 지역이나 사회 계층에 따라 분화된 말이다.
(2) 모든 사람과 원활하게 의사소통할 수 있으며 공식적인 상황에 사용하기에 적절한 것은 (표준어, 방언)이다.

개념 05 지역 방언의 개념과 특성

• **지역 방언**: 한 언어에서 ❶ [　　　]에 따라 달라져서 형성된 각 지방의 말 ⓔ '옥수수'를 일컫는 말이 지역에 따라 다름.

지역 방언의 특성	• 해당 지역 방언을 모르는 사람과는 의사소통이 원활하게 이루어지지 않을 수 있음. • 같은 지역 방언을 사용하는 구성원들 간에 돈독한 유대감을 형성해 주고, ❷ [　　]로 나타내기 힘든 정서와 느낌을 표현함.

답 ❶ 지역 ❷ 표준어

확인 05 다음 빈칸에 들어갈 알맞은 말을 쓰시오.

(　　　　)을/를 사용하면 표준어로 나타내기 힘든 정서와 느낌을 표현할 수 있다.

개념 06 사회 방언의 개념과 특성

• **사회 방언**: 세대나 ❶ [　　], 성별 등 사회적 요인에 따라 다르게 쓰이는 말 ⓔ 생파(생일 파티), 영애(슈愛), 어레스트(심장 정지)

사회 방언의 특성	• 같은 ❷ [　　]에 속하는 사람들끼리 대화를 나눌 때 많이 사용함. • 구성원의 소속감, 동질감을 강화할 수 있으나 같은 사회 집단에 속하지 않는 사람들에게는 소외감이나 이질감을 줄 수 있음.

답 ❶ 직업 ❷ 집단

확인 06 다음 문장의 괄호 안에서 알맞은 말을 고르시오.

(1) 사회 방언은 세대나 직업, 성별 등 (개인적, 사회적) 요인에 따라 다르게 쓰이는 말이다.
(2) 사회 방언은 같은 집단에 속하지 않는 사람들에게는 (소속감, 이질감)을 줄 수 있다.

개념 07 사회 방언 ① – 전문어

• **전문어**: 특정 분야에서 ❶ [　　]적인 개념을 표현하기 위해 사용하는 말

교과서 예	
법률	• 재정 증인: 미리 증인으로 호출되거나 소환되지 아니하고 법정에서 선정된 증인 • 변론: 소송 당사자나 변호인이 법정에서 주장하거나 진술함. 또는 그런 주장이나 진술
의학	• 코드 블루: 병원 내 긴급 상황 • 바이탈: 생명 징후(호흡, 맥박, 체온, 혈압)
방송	• 숏(shoot): 영화 따위의 촬영을 시작하는 일

• 전문 분야의 일을 효과적으로 수행하기 위해 사용하며, 그 분야에 대한 ❷ [　　]이 없으면 단어의 의미를 알기 어려움.

답 ❶ 전문 ❷ 지식

확인 07 다음 중 전문어에 해당하지 않는 것은?

① 숏　　　　② 변론　　　　③ 바이탈
④ 정구지　　　⑤ 재정 증인

개념 08 사회 방언 ② – 은어

• **은어**: 다른 사람들이 알아듣지 못하도록 특정 ❶ [　　] 안에서 사용하는 말

교과서 예	
청과물 상인	숫자를 대신하여 1은 '먹주', 2는 '대', 3은 '삼패'라고 함.
심마니	밥은 '무림', 호랑이는 '산개', 안개는 '데팽이'라고 함.

• 비밀 ❷ [　　]의 기능이 있으며, 외부에 알려지면 새로운 은어로 변경되기도 함.

답 ❶ 집단 ❷ 유지

확인 08 다음 밑줄 친 말은 사회 방언 중 무엇에 속하는지 쓰시오.

상인: 이 복숭아 한 상자당 <u>대</u>(이만 원)에 살 수 있을까요?

개념 09 사회 방언 ③ – 세대, 성별

• 세대에 따라 사용하는 언어가 다름.

교과서 예	
청소년층	줄임 말, ❶ [ ], 새로운 말을 많이 씀. 예 깜놀, 생파, 짱
장년층 ·노인층	❷ [ ]를 많이 씀. 예 문상(問喪), 평안(平安), 춘부장(椿府丈)

• 성별에 따라 사용하는 언어가 다름.

> 교과서 예
>
> 여자 1: 오랜만이다.
> 여자 2: 언니, 진짜 반가워요.
> 남자 1: 누나, 그동안 어떻게 지냈어요?

답 ❶ 유행어 ❷ 한자어

확인 09 다음 중 어휘의 양상이 다른 하나는?

① 깜놀   ② 생파   ③ 평안   ④ 누나   ⑤ 춘부장

개념 10 의미 관계에 따른 어휘 양상 ① – 유의어

• 유의어: 말소리는 다르지만 ❶ [ ]가 서로 비슷한 관계에 있는 단어들
  예 틈 – 사이, 이따금 – 가끔, 막다 – 방어하다
• 의미가 서로 비슷해도 미묘한 의미 ❷ [ ]가 있어 서로 바꾸어 쓸 수 없는 경우가 있음.
  예 연필을 잡다. (○) – 연필을 쥐다. (○)
     도둑을 잡다. (○) – 도둑을 쥐다. (×)

답 ❶ 의미 ❷ 차이

확인 10 다음 단어들의 공통적인 의미 관계를 쓰시오.

> • 틈 – 사이   • 잡다 – 쥐다   • 얇다 – 가늘다

개념 11 의미 관계에 따른 어휘 양상 ② – 반의어

• 반의어: 의미가 서로 ❶ [ ] 되는 관계에 있는 단어들
  예 낮 – 밤, 가끔 – 자주, 빠르다 – ❷ [ ]
• 한 단어와 짝이 되는 반의어가 여러 개 있을 수 있음.

> 교과서 예
>
> • 구두를 벗다. ↔ 구두를 신다.
> • 모자를 벗다. ↔ 모자를 쓰다.
> • 바지를 벗다. ↔ 바지를 입다.

답 ❶ 반대 ❷ 느리다

확인 11 다음 단어와 반의 관계에 있는 단어를 쓰시오.

(1) 낮 – (   )   (2) 덥다 – (   )

개념 12 의미 관계에 따른 어휘 양상 ③ – 상의어와 하의어

• 상의어: 의미상 한 단어가 다른 단어를 포함하는 단어로, 대개 ❶ [ ]적이고 포괄적인 의미를 지님.
• 하의어: 의미상 한 단어가 다른 단어에 포함되는 단어로, 대개 ❷ [ ]적이고 한정적인 의미를 지님.

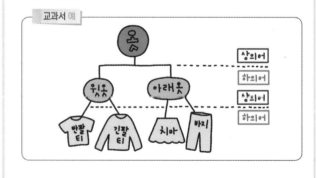

답 ❶ 일반 ❷ 구체

확인 12 〈보기〉에서 나머지 단어를 모두 포함하는 상의어를 찾아 O 표시를 하시오.

> 보기
>
> 시   문학   소설   수필

개념 13 의미 관계에 따른 어휘 양상 ④ – 다의어와 동음이의어

- **다의어**: 두 가지 이상의 ❶ [ ] 가 있는 단어

> **교과서 예**
> - 감기에 걸려서 머리가 아프다.
>   사람이나 동물의 목 위의 부분
> - 공부를 잘하는 내 동생은 머리가 좋은 것 같다.
>   생각하고 판단하는 능력

- **동음이의어**: ❷ [ ] 는 같으나 의미가 다른 단어

> **교과서 예**
> - 손을 흔들며 친구에게 작별 인사를 했다.
>   사람의 팔목 끝에 달린 부분
> - 아버지는 고향에서 찾아온 손을 친절하게 대접했다.
>   다른 곳에서 찾아온 사람

답 ❶ 의미 ❷ 소리

확인 13 다음 빈칸에 들어갈 알맞은 말을 쓰시오.

(1) ( )은/는 두 가지 이상의 의미가 있는 단어이다.

(2) 동음이의어는 소리는 같으나 ( )이/가 다른 단어이다.

개념 15 동음이의어의 특징

- 중심적 의미가 서로 다르며, 단어의 ❶ [ ] 사이에 연관성이 없음.
- 사전에 각각 ❷ [ ] 단어로 실림.

> **교과서 예**
> **배01** 사람이나 동물의 몸에서 위장, 창자, 콩팥 등의 내장이 들어 있는 곳으로, 가슴과 엉덩이 사이의 부위.
> **배02** 사람이나 짐 등을 싣고 물 위로 떠다니도록 나무나 쇠 등으로 만든 물건.
> **배03** 배나무의 열매.

답 ❶ 의미 ❷ 다른

확인 15 ⓐ, ⓑ의 밑줄 친 단어들의 의미 관계를 쓰시오.

> ⓐ 처음 마셨던 커피는 맛이 <u>쓰기</u>만 했다.
> ⓑ 안경을 <u>쓰기</u>만 해도 칠판 글씨가 잘 보였다.

개념 14 다의어의 특징

- 하나의 ❶ [ ] 의미에서 나온 여러 개의 ❷ [ ] 의미를 가짐.
- 사전에 하나의 단어로 실림.

> **교과서 예**
> **보다** 「동사」
> ① 눈으로 대상의 존재나 형태적 특징을 알다. → 중심적 의미
> ② 눈으로 대상을 즐기거나 감상하다. ┐
> ③ 일정한 목적 아래 만나다. │ → 주변적 의미
> ④ 맡아서 보살피거나 지키다. │
> ⑤ 자신의 실력이 나타나도록 치르다. ┘

답 ❶ 중심적 ❷ 주변적

확인 14 다음 문장의 밑줄 친 부분이 '보다'의 중심적 의미이면 '중', 주변적 의미이면 '주'라고 쓰시오.

(1) 신호등을 잘 <u>보고</u> 건너야 해. ( )

(2) 그는 연극을 <u>보는</u> 재미로 극장에서 일한다. ( )

> 우리말 어휘의 체계와 양상을 알면 상황에 맞는 어휘를 적절하게 활용할 수 있어.

01 다음 밑줄 친 단어 중 고유어에 해당하는 것은?

① 오늘 저녁에 <u>피자</u> 시켜 먹을까?

② 우리 할머니는 <u>돋보기</u> 안경을 쓰신다.

③ 내 동생은 <u>피아노</u> 학원에 다니고 있다.

④ 교실 <u>책상</u>에 앉아서 운동장을 내다봤다.

⑤ 내리는 <u>눈</u>을 보니 전학 간 친구가 생각난다.

02 다음 문장의 밑줄 친 단어가 한자어이면 '한', 외래어이면 '외'라고 쓰시오.

(1) 이 나비의 <u>학명</u>은 무엇인가요?　　　　(　　　)

(2) <u>헬리콥터</u>가 하늘 높이 날아올랐다.　　(　　　)

(3) 나는 초등학교 때부터 <u>바이올린</u>을 배웠다.　(　　　)

(4) 오늘은 왠지 좋은 일이 생길 것 같은 <u>예감</u>이 든다.　(　　　)

03 다음 중 표준어와 방언에 대한 설명으로 적절하지 <u>않은</u> 것은?

댓글

↳ 현정: 지역 방언은 공식적인 상황에서 주로 쓰여. ·············· ①

↳ 진아: 표준어를 사용하면 모든 사람과 원활하게 의사소통할 수 있어.

·············· ②

↳ 서준: 표준어는 한 나라에서 공용어로 쓰도록 규범으로 정한 언어야.

·············· ③

↳ 이나: 방언은 한 언어에서, 지역 또는 사회 계층에 따라 달라진 말이야.

·············· ④

↳ 민채: 해당 지역 방언을 잘 모르는 사람과는 의사소통이 원활하게 이루어지지 않을 수도 있어. ·············· ⑤

>> 정답과 해설 20쪽

04 다음 밑줄 친 단어들을 무엇이라고 하는지 쓰시오.

05 다음 단어들의 의미 관계를 잘못 파악한 것은?

① 과일 – 사과 : 상하 관계
② 이따금 – 가끔 : 유의 관계
③ 맞다 – 틀리다 : 반의 관계
④ 막다 – 방어하다 : 상하 관계
⑤ 빠르다 – 느리다 : 반의 관계

06 각 문장의 밑줄 친 단어가 다의어이면 '다', 동음이의어이면 '동'이라고 쓰시오.

(1) ┌ ㉠ 많이 걸었더니 다음날 다리가 아팠다.
     └ ㉡ 장마철에 비가 많이 내려서 다리가 떠내려갔다. (   )

(2) ┌ ㉠ 아이는 손을 흔들며 친구에게 작별 인사를 했다.
     └ ㉡ 한참 모내기를 하는 농번기에는 늘 손이 부족하다. (   )

대표 유형 ① 우리말의 어휘 체계 이해하기

1 다음 그림에 제시된 단어 중 고유어를 바르게 짝지은 것은?

① 시계, 책상　　　　② 거울, 에어컨

③ 거울, 주머니　　　④ 볼펜, 컴퓨터

⑤ 안경, 지우개

유형 해결 전략

고유어는 우리말에 본디부터 있던 말이나 이것에 기초하여 새로 만들어진 말, ❶ □□□ 는 한자를 바탕으로 만들어진 말, 외래어는 다른 나라에서 들어온 말 가운데 ❷ □□□ 처럼 쓰이는 말이다.

답 ❶ 한자어 ❷ 우리말

1-1 〈보기〉의 단어들을 우리말 체계에 따라 다음과 같이 분류할 때, 적절하지 <u>않은</u> 것은?

보기			
서점	미역국	버스	아름답다
아파트	바나나	교실	점심시간

⬇

고유어	한자어	외래어
①미역국	서점	④버스
아름답다	③점심시간	⑤아파트
②교실		바나나

1-2 다음 단어 중에서 종류가 나머지와 <u>다른</u> 하나는?

① 딸기　　② 아들　　③ 여름

④ 비빔밥　⑤ 레스토랑

대표 유형 ② 고유어, 한자어, 외래어의 특성 파악하기

2 우리말 어휘에 대한 설명으로 적절하지 <u>않은</u> 것은?

① 고유어는 우리 민족의 고유한 문화와 정서를 잘 드러낸다.

② 한자어는 고유어에 비해 전문적인 개념을 나타내기도 한다.

③ 외래어는 다른 나라에서 들어온 말이지만 우리말처럼 쓰인다.

④ 외국 문물과의 접촉이 늘어나면서 고유어의 쓰임이 늘어나고 있다.

⑤ 고유어, 한자어, 외래어는 그 특성을 고려하여 상황에 맞게 사용해야 한다.

유형 해결 전략

고유어는 우리 민족의 문화나 ❶ □□□ 와 깊은 관련이 있는 반면, ❷ □□□ 는 우리 문화에 없던 외국의 사물이나 제도를 나타내기 위해 사용되는 경우가 많으며 그 수도 점점 늘어나고 있다.

답 ❶ 정서 ❷ 외래어

2-1 〈보기〉의 밑줄 친 단어를 통해 알 수 있는 한자어의 특성으로 적절한 것은?

보기
• 너는 <u>나이</u>가 어떻게 되니?
• 할아버지께서는 <u>연세</u>가 어떻게 되십니까?

① 모든 한자어를 고유어로 바꾸어 쓸 수 있다.

② 고유어에 비해 높임의 의미를 지니기도 한다.

③ 색깔이나 소리 등을 생생하게 표현할 수 있다.

④ 같은 한자어를 쓰는 사람끼리 친근감을 느끼게 한다.

⑤ 고유어보다 분화된 의미를 지니고 있어 전문적인 개념을 나타낼 수 있다.

대표 유형 ③ 지역 방언의 특성 이해하기

3 다음과 같이 '부추'를 나타내는 말이 다양해지는 데 영향을 준 요소로 알맞은 것은?

> 댓글
>
> ↳ 요즘 부추가 정말 맛있어요.
> ↳ 정구지 말씀이지요?
>   ↳ 혹시 경상도에 사시나요?
> ↳ 충청도에서는 졸이라도 해요.
> ↳ 제주도 친구는 세우리라고 불러요.

① 말이 사용되는 지역
② 말이 사용되는 상황
③ 말을 사용하는 사람들의 나이
④ 말을 사용하는 사람들의 성별
⑤ 말을 사용하는 사람들의 직업

유형 해결 전략

'부추'는 지역에 따라 '정구지', '졸', '세우리' 등으로 다르게 불린다. 이처럼 한 언어에서 **①** 에 따라 달라져서 형성된 각 지방의 말은 **②** 이라고 한다.

답 ❶ 지역 ❷ 지역 방언

3-1 은수가 (나)와 달리 (가)에서 지역 방언을 사용한 이유로 적절한 것은?

> **가** 영민: 은수야, 훈련 잘돼 가?
> 은수: 그럼, 근디 연습을 허벌나게 많이 했더니 뼈치네.
> **나** 기자: 김은수 선수, 올림픽에 출전하는 각오를 말씀해 주세요.
> 은수: 그동안 열심히 훈련한 만큼 노력이 헛되지 않도록 최선을 다하겠습니다.

① 자신의 상황을 구체적으로 설명하려고
② 다른 사람들이 알아듣지 못하게 하려고
③ 상대방이 친근감을 느낄 수 있게 하려고
④ 전문적인 내용을 효과적으로 전달하려고
⑤ 공식적인 상황에서 격식을 갖추어 말하려고

대표 유형 ④ 사회 방언의 특성 이해하기

4 사회 방언에 대한 설명으로 적절하지 <u>않은</u> 것은?

① 전문어와 은어 등이 사회 방언에 해당한다.
② 외국 문물과의 접촉을 통해 만들어지는 경우가 많다.
③ 사회 방언을 모르는 사람에게는 소외감을 느끼게 할 수 있다.
④ 직업, 나이, 성별 등 사회적 요인에 따라 다르게 쓰이는 말이다.
⑤ 같은 집단 내에서 의사소통의 효율성을 높이며, 구성원 간의 동질감을 형성한다.

유형 해결 전략

사회 방언은 나이, **①** , 성별 등의 사회적 요인에 따라 각 집단에서 쓰는 말이며, 그 집단의 구성원에게는 동질감을, 구성원이 아닌 사람에게는 **②** 을 느끼게 하므로 사용할 때 주의해야 한다.

답 ❶ 직업 ❷ 소외감

4-1 다음 중 대화의 밑줄 친 말과 동일한 목적으로 사용하는 말이 <u>아닌</u> 것은?

① 바이탈
② 옥수깨이
③ 불고지죄
④ 클로즈업
⑤ 오퍼러빌리티

4-2 〈보기〉의 밑줄 친 말들을 사용하는 이유를 쓰시오.

> 보기
>
> 심마니들은 호랑이를 '<u>산개</u>', 안개를 '<u>데펭이</u>'라고 부른다.

01 다음 중 우리말 어휘 체계에 대한 설명이 적절하지 <u>않은</u> 것은?

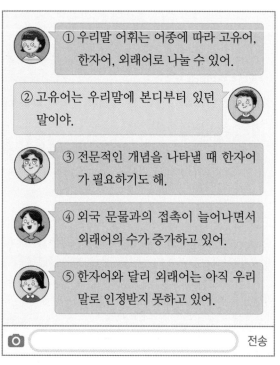

① 우리말 어휘는 어종에 따라 고유어, 한자어, 외래어로 나눌 수 있어.

② 고유어는 우리말에 본디부터 있던 말이야.

③ 전문적인 개념을 나타낼 때 한자어가 필요하기도 해.

④ 외국 문물과의 접촉이 늘어나면서 외래어의 수가 증가하고 있어.

⑤ 한자어와 달리 외래어는 아직 우리말로 인정받지 못하고 있어.

전송

[03~04] 다음 자료를 보고, 물음에 답하시오.

| 우유 | 피자 | 아쉽다 |
| 하늘 | 대화 | 스파게티 |

| (가) | (나) | (다) |
| 하늘, 아쉽다 | 우유, 대화 | 피자, 스파게티 |

03 다음 중 (가)에 들어갈 수 있는 단어가 <u>아닌</u> 것은?

① 붉다　　　　　② 마음

③ 구름　　　　　④ 게시판

⑤ 꾸벅꾸벅

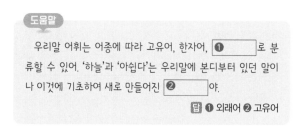

도움말

우리말 어휘는 어종에 따라 고유어, 한자어, ❶ [　　　]로 분류할 수 있어. '하늘'과 '아쉽다'는 우리말에 본디부터 있던 말이나 이것에 기초하여 새로 만들어진 ❷ [　　　]야.

답 ❶ 외래어 ❷ 고유어

02 다음에서 알 수 있는 고유어의 특성으로 적절한 것은?

- 파랗다, 새파랗다, 시퍼렇다, 파릇파릇하다, 시푸르뎅뎅하다, 푸르스름하다
- 달다, 달콤하다, 달큼하다, 다디달다, 날싹시근하다
- 깡충깡충, 껑충껑충, 겅중겅중, 팔짝팔짝, 펄쩍펄쩍, 폴짝폴짝

① 전문적인 개념을 나타낸다.

② 새로운 사물이나 현상을 표현한다.

③ 지역에 따라 조금씩 다르게 사용된다.

④ 한자어보다 분화된 의미를 지니고 있다.

⑤ 색깔이나 맛 등의 감각을 생생하게 표현한다.

04 ⓐ~ⓔ 중, (다)에 대한 설명으로 적절한 것은?

ⓐ 한자를 바탕으로 만들어진 말이다.

ⓑ 다른 나라에서 들어왔지만, 우리말처럼 쓰인다.

ⓒ 반드시 우리말로 순화하고, 사용하지 말아야 한다.

ⓓ 한 나라에서 공용어로 쓰도록 규범으로 정한 말이다.

ⓔ 우리 문화에 없던 사물이나 제도를 나타내는 경우가 많다.

① ⓐ, ⓒ　　　　② ⓐ, ⓔ　　　　③ ⓑ, ⓓ

④ ⓑ, ⓔ　　　　⑤ ⓒ, ⓓ

05 다음 단어 중 〈보기〉와 같은 특성을 지닌 것을 모두 찾아 쓰시오.

나무	모자	목도리
손수레	아르바이트	운동화
체육복	티셔츠	햄버거

┌ 보기 ┐
• 새로운 개념이나 문물을 나타내는 말이다.
• 외국 문화와의 접촉을 통해 들어와 우리말 어휘를 보충해 준다.

도움말

외래어는 **❶**[   ] 문화와의 접촉을 통해 들어와 우리말 어휘를 보충해 주는데, 새로운 개념이나 **❷**[   ]이 지속적으로 들어오면서 외래어의 수도 점점 늘어나고 있어.

답 ❶ 외국 ❷ 문물

06 ㉠, ㉡을 대신할 수 있는 한자어가 바르게 짝지어진 것은?

• 그 수필을 읽고 난 ㉠느낌을 친구에게 말했다.
• 오늘은 왠지 좋은 일이 생길 것 같은 ㉡느낌이 든다.

	㉠	㉡
①	감상(鑑賞)	감정(感情)
②	감상(鑑賞)	예감(豫感)
③	감정(感情)	감상(鑑賞)
④	감정(感情)	예감(豫感)
⑤	예감(豫感)	감정(感情)

07 다음 밑줄 친 한자어들과 바꾸어 쓸 수 있는 고유어로 적절한 것은?

• 헤어질 때 너의 심정은 어땠니?
• 여행을 떠날 의향은 있는 거니?
• 나는 어제 만난 그에게 호감이 있어.

① 느낌   ② 마음   ③ 바람
④ 속뜻   ⑤ 심경

08 준서가 (가)와 달리 (나)에서 표준어를 사용한 이유로 알맞은 것은?

㉮ 가족과 통화할 때
준서: 엄니, 인제 비 온다 허니 얼매나 좋을까이?

㉯ 뉴스를 진행할 때

준서: 반가운 비 소식을 전해 드립니다. 내일 오후부터 가뭄을 해소하는 비가 오겠습니다.

① 시청자들에게 반가운 마음을 전달하기 위해
② 전문적인 개념을 효과적으로 전달하기 위해
③ 시청자들에게 높임의 의미를 표현하기 위해
④ 시청자들이 향토색을 느낄 수 있도록 하기 위해
⑤ 전국의 시청자 모두가 이해할 수 있도록 하기 위해

도움말

표준어는 모든 사람과 원활한 **❶**[   ]이 가능하므로 공식적인 상황에서 주로 쓰이고, **❷**[   ]은 사적인 대화를 나누는 비공식적인 상황에서 주로 쓰여.

답 ❶ 의사소통 ❷ 지역 방언

[09~10] 다음 인터넷 게시판을 보고, 물음에 답하시오.

여러분이 사는 지역에서는 '솥 바닥에 눌어붙은 밥'을 무엇이라고 부르나요?

조회 000

↳ 하늘 천 따 지 가마솥의 누룽지. 누룽지요!

↳ 전라도에서는 깜밥이라고도 해요.

　↳ 우리 집도요. 깜밥이라고 해야 구수한 느낌이 나요.

↳ 충청도에 사시는 우리 할머니는 강개라고 하시던데요?

↳ 함경도 쪽에서는 가매티라고도 한대요.

↳ 지역에 따라 다르게 쓰는 말이 재미있기는 한데, ㉠다른 지역에 사는 사람은 그 말을 못 알아들을 수도 있겠어요.

09 다음 중 밑줄 친 말에 대한 설명으로 적절하지 <u>않은</u> 것은?

① '누룽지', '깜밥', '강개', '가매티'는 같은 대상을 가리킨다.

② '누룽지'는 공식적인 상황에서 사용하기에 적절한 표준어이다.

③ '깜밥', '강개', '가매티'는 향토적인 느낌을 주는 지역 방언이다.

④ '누룽지' 대신 '가매티'라고 말하면 좀 더 원활하게 소통할 수 있다.

⑤ 충청도 지역 사람들은 '강개'라는 단어를 사용하며 돈독한 유대감을 느낄 수 있다.

10 ㉠을 바탕으로 지역 방언을 사용할 때 생길 수 있는 문제점을 〈조건〉에 맞게 서술하시오.

　조건
　'의사소통'이라는 단어를 활용하여 쓸 것

도움말

지역 방언을 사용하면 같은 지역 방언을 사용하는 사람들 사이에 **❶**　　　　을 형성할 수 있지만, 해당 지역 방언을 모르는 사람과는 **❷**　　　　이 원활하지 않을 수도 있어.

답 ❶ 친밀감 ❷ 의사소통

11 다음 시에서 지역 방언을 사용하여 얻은 효과로 알맞은 것은?

'오─매 단풍 들것네.'
장광에 골 붉은 감잎 날아와
누이는 놀란 듯이 치어다보며
'오─매 단풍 들것네.'

추석이 내일모레 기둘리리
바람이 잦이어서 걱정이리
누이의 마음아 나를 보아라
'오─매 단풍 들것네.'

– 김영랑, 〈오─매 단풍 들것네〉

① 말하는 이의 정서가 다양하게 해석된다.

② 시의 주제가 특정 집단 안에서만 공유된다.

③ 모든 독자가 시어의 의미를 쉽게 파악할 수 있다.

④ 복잡하고 전문적인 개념이 효과적으로 전달된다.

⑤ 토속적인 색채와 향토적인 분위기가 잘 드러난다.

12 다음 중 사회 방언에 대한 설명으로 적절하지 <u>않은</u> 것은?

① 세대, 직업, 성별 등 사회적 요인에 따라 다르게 쓰이는 말이다.

② 법정에서 사용하는 '재정 증인', '변론'과 같은 전문어는 사회 방언에 속한다.

③ 심마니들이 사용하는 '무림', '산개', '데팽이' 등의 은어는 사회 방언에 속한다.

④ 사회 방언을 사용하면 같은 집단의 구성원끼리 효율적으로 의사소통할 수 있다.

⑤ 사회 방언은 같은 집단에 속하지 않는 사람에게는 소외감을 줄 수 있으므로 어떤 상황에서나 표준어를 사용해야 한다.

[13~14] 다음 글을 읽고, 물음에 답하시오.

도매 시장에서 상인들이 가격을 흥정하는 상황

상인 1: 이거 얼마야?

상인 2: 후리(2만 원)는 줘야지.

상인 1: 뭐 그렇게까지. 야리(만 원)면 되겠는데.

손님: 뭐라고 하시는 거예요? 암호 같아서 무슨 말인지 잘 모르겠네요.

상인 2: 도매상인들끼리 사용하는 (ⓐ)라서 그래요.

손님: 아, 상품 가격을 손님들에게 알려 주지 않으려는 목적으로 (ⓐ)를 사용하는군요.

13 ⓐ에 공통으로 들어갈 말로 알맞은 것은?
① 은어　　　　② 표준어
③ 전문어　　　④ 외래어
⑤ 한자어

14 ⓐ와 같은 말에 대한 설명으로 적절한 것은?
① 상황에 따라 의미가 달라질 수 있으므로 유의해서 사용해야 한다.
② 추상적인 개념을 구체적이고 생생하게 표현하기 위해 사용한다.
③ 외국에서 들어온 말이므로 가능하면 고유어로 바꾸어 써야 한다.
④ 상대방에게 모욕감을 줄 수 있으므로 공식적인 상황에서는 사용하면 안 된다.
⑤ 비밀을 유지하려는 목적으로 사용하므로 외부에 알려지면 다른 말로 바뀌기도 한다.

도움말

은어는 특정 ❶ □□ 안에서 ❷ □□ 유지를 위해 사용하는 말이야.

답 ❶ 집단 ❷ 비밀

15 다음 밑줄 친 단어에 대한 설명으로 적절하지 <u>않은</u> 것은?

① 전문적인 개념을 표현하기 위해 사용하는 말이다.
② 사회적 요인에 따라 각 집단에서 특징적으로 쓰는 말이다.
③ 다른 사람들이 알아듣지 못하도록 하려는 의도를 지니고 있다.
④ 해당 분야의 사람들과 효과적으로 의사소통하는 데 도움이 된다.
⑤ 해당 단어를 모르는 사람에게 사용하면 의사소통에 어려움을 겪을 수 있다.

16 다음 대화에서 같은 대상을 가리키는 말이 다른 이유로 알맞은 것은?

① 지역　　　② 직업　　　③ 나이
④ 성별　　　⑤ 종교

대표 유형 ① 유의어와 반의어의 특성 이해하기

1 다음 밑줄 친 단어에 대한 설명으로 적절한 것은?

영호랑 이따금 연락하니?

응, 가끔 연락해. 사흘에 한 번 정도?

① 의미가 서로 비슷하다.

② 의미가 서로 반대된다.

③ 두 가지 이상의 의미가 있다.

④ 지역에 따라 다르게 사용된다.

⑤ 소리는 같으나 의미가 다르다.

유형 해결 전략

'이따금'과 '가끔'처럼 말소리는 다르지만 ❶ [　　　] 가 서로 비슷한 관계에 있는 단어들을 ❷ [　　　] 라고 한다.

답 ❶ 의미 ❷ 유의어

1-1 ㉠~㉣을 제시된 기준에 따라 분류하시오.

┌─ 보기 ─────────────────────┐
㉠ 식당 – 음식점 　　　㉡ 오른쪽 – 왼쪽
㉢ 남학생 – 여학생 　　㉣ 오르다 – 상승하다
└───────────────────────────┘

(1) 유의 관계	
(2) 반의 관계	

1-2 다음 중 〈보기〉의 밑줄 친 단어의 반의어로 알맞은 것은?

┌─ 보기 ─────────────────────┐
이 상품은 품질이 좋다.
└───────────────────────────┘

① 싫다　　② 없다　　③ 나쁘다

④ 다르다　　⑤ 새롭다

대표 유형 ② 상의어와 하의어의 특성 파악하기

2 ⓐ~ⓔ의 의미 관계에 대한 설명으로 적절하지 않은 것은?

┌───────────────────────────┐
　　ⓐ동물 중에서 척추가 있는 것은 ⓑ'척추동물'이라고 하고, 척추가 없는 것은 ⓒ'무척추동물'이라고 한다. 척추동물은 다시 그 특성에 따라서 'ⓓ포유류, 조류, ⓔ파충류, 양서류, 어류'로 나눌 수 있다.
└───────────────────────────┘

① ⓐ는 ⓑ의 상의어에 해당한다.

② ⓐ는 의미상 ⓑ, ⓒ를 포함한다.

③ ⓑ는 ⓓ에 비해 더 넓은 의미를 지니고 있다.

④ ⓓ와 ⓔ는 서로 짝을 이루어 반대되는 관계에 있다.

⑤ ⓑ와 ⓔ는 의미상 한 단어가 다른 단어를 포함하거나 포함되는 관계에 있다.

유형 해결 전략

'동물'은 의미상 '척추동물', '무척추동물'을 ❶ [　　　] 하는 상의어이고, '포유류, 조류, 파충류, 양서류, 어류'는 '척추동물'에 포함되는 ❷ [　　　] 이다.

답 ❶ 포함 ❷ 하의어

2-1 〈보기〉의 빈칸에 들어갈 단어로 적절하지 않은 것은?

┌─ 보기 ─────────────────────┐
나는 _____ 같은 운동을 좋아한다.
└───────────────────────────┘

① 농구　　② 야구　　③ 축구

④ 명상　　⑤ 씨름

2-2 다음 중 한쪽이 다른 한쪽을 포함하는 관계가 아닌 것은?

① 꽃 – 장미　　　② 문학 – 소설

③ 과일 – 사과　　④ 잔치 – 파티

⑤ 새 – 까마귀

대표 유형 ③ 다의어와 동음이의어의 특성 이해하기

3 ㉠~㉢ 중, 동음이의어에 대한 설명으로 알맞은 것을 바르게 짝지은 것은?

> ㉠ 사전에 하나의 단어로 실린다.
> ㉡ 의미 사이에 서로 연관성이 없다.
> ㉢ 소리는 같으나 의미가 다른 단어이다.
> ㉣ 두 가지 이상의 의미가 있는 단어를 말한다.
> ㉤ 하나의 중심적 의미에서 나온 여러 개의 주변적 의미가 있다.

① ㉠, ㉡   ② ㉠, ㉣   ③ ㉡, ㉢
④ ㉢, ㉤   ⑤ ㉣, ㉤

유형 해결 전략

동음이의어는 ❶ [　　　]는 같지만 중심적 의미가 달라 사전에 각각 다른 단어로 실린다. ❷ [　　　]는 두 가지 이상의 의미가 있는 단어로, 중심적 의미에서 확장된 주변적 의미를 지녀 사전에 하나의 단어로 실린다.

답 ❶ 소리 ❷ 다의어

3-1 다음 중 밑줄 친 '가다'의 의미로 적절한 것은?

> 아들: 엄마, 아빠 집에 안 계신가요?
> 엄마: 응. 아침 일찍 서울에 <u>가셨어.</u>

① 직책이나 자리를 옮기다.
② 관심이나 눈길 따위가 쏠리다.
③ 한 곳에서 다른 곳으로 장소를 이동하다.
④ 수레, 배, 자동차, 비행기 등이 운행하거나 다니다.
⑤ 일정한 목적을 가진 모임에 참석하기 위하여 이동하다.

3-2 ⓐ, ⓑ가 어떤 의미 관계인지 쓰시오.

> ⓐ배를 너무 많이 먹었더니 ⓑ배가 아프다.

대표 유형 ④ 상황에 맞게 어휘 활용하기

4 다음 중 상황에 따른 어휘 사용이 적절하지 <u>않은</u> 것은?

① 대통령 후보 토론회에서 후보자가 표준어를 사용했다.
② 고향 친구들과의 모임에서 사람들이 지역 방언을 사용했다.
③ 급박한 수술 상황에서 의사들이 의료 분야 전문어를 사용했다.
④ 손자가 할아버지와 대화하면서 '생파'나 '생선' 등의 줄임 말을 사용했다.
⑤ 특정 지방을 배경으로 하는 드라마에서 인물들이 그 지역의 방언을 사용했다.

유형 해결 전략

같은 ❶ [　　　]을 사용하는 구성원끼리는 효율적으로 의사소통할 수 있지만, 같은 사회 집단에 속하지 않는 사람들과 대화할 때에는 ❷ [　　　]에 어려움이 생기거나 소외감을 줄 수도 있다.

답 ❶ 사회 방언 ❷ 의사소통

4-1 다음 중 올바른 언어생활 태도로 보기 <u>어려운</u> 것은?

① 공식적인 상황에서는 표준어를 사용한다.
② 외래어를 남용하지 않도록 주의해야 한다.
③ 지역 방언은 반드시 표준어로 바꾸어 사용해야 한다.
④ 전문 분야의 일을 효과적으로 수행하기 위해 전문어를 사용한다.
⑤ 은어는 그 단어를 잘 모르는 사람에게 소외감을 줄 수 있으므로 유익하여 사용한다.

4-2 단어의 의미 차이를 고려할 때, 다음 상황에 어울리는 적절한 단어를 고르시오.

[01~03] 다음 단어들의 의미 관계를 바탕으로 물음에 답하시오.

ⓐ 아래 – 위	ⓑ 잡다 – 쥐다
ⓒ 덥다 – 춥다	ⓓ 가끔 – 이따금
ⓔ 빠르다 – 느리다	ⓕ 꽃 – 해바라기

01 ⓐ~ⓕ 중, 의미가 서로 비슷한 관계에 있는 것끼리 바르게 짝지어진 것은?

① ⓐ, ⓑ   ② ⓐ, ⓓ

③ ⓑ, ⓓ   ④ ⓒ, ⓕ

⑤ ⓓ, ⓔ

02 다음 중 ⓒ와 동일한 의미 관계가 드러나는 것은?

① 속 – 안   ② 낮 – 밤

③ 과일 – 사과   ④ 나이 – 연세

⑤ 막다 – 방어하다

03 다음 중 ⓕ에 대한 설명으로 적절한 것은?

① '꽃'과 '해바라기'는 의미가 비슷한 말이다.

② '꽃'과 '해바라기'는 의미가 반대되는 말이다.

③ '꽃'은 의미상 '해바라기'에 포함되는 하의어이다.

④ '꽃'은 의미상 '해바라기'를 포함하는 상의어이다.

⑤ '해바라기'는 의미상 '꽃'을 포함하는 상의어이다.

04 다음 문장의 괄호 안에 들어갈 말을 차례대로 바르게 고른 것은?

(1) (이빨, 치아) 빠진 호랑이가 따로 없네.

(2) 어젯밤 전국적으로 (얇은, 가는) 비가 내렸습니다.

(3) 우리는 저 사람들 (다음, 나중)에 들어갈 수 있겠지?

① 이빨 – 얇은 – 다음

② 이빨 – 가는 – 다음

③ 이빨 – 가는 – 나중

④ 치아 – 얇은 – 다음

⑤ 치아 – 가는 – 나중

도움말

'이빨'과 '치아', '얇은'과 '가는', '다음'과 '나중'은 서로 뜻이 비슷한 ❶⬚⬚⬚⬚⬚⬚이지만, 의미에 미묘한 차이가 있으므로 단어가 사용되는 ❷⬚⬚⬚⬚⬚을 고려해서 적절한 단어를 선택해야 해.

답 ❶ 유의어 ❷ 상황

05 다음 문장의 빈칸에 들어갈 알맞은 단어를 〈조건〉에 맞게 쓰시오.

걸음이 <u>빠른</u> 형이 앞서가는 사이 걸음이 (   ) 동생이 뒤쳐졌다.

┌ 조건 ┐
밑줄 친 단어와 의미가 반대되는 단어를 쓸 것

06 다음 밑줄 친 단어의 반의어를 〈보기〉에서 찾아 쓰시오.

(1) 동생이 자꾸만 모자를 <u>벗다</u>.   (   )

(2) 집에 도착하자마자 무거운 장화를 <u>벗다</u>.

(   )

(3) 가을이 되어 나뭇잎들이 초록색 옷을 <u>벗다</u>.

(   )

┤ 보기 ├

신다, 쓰다, 입다, 풀다, 착용하다

07 〈보기〉의 밑줄 친 단어의 유의어와 반의어를 바르게 연결한 것은?

┤ 보기 ├

동생 얼굴에 살이 <u>오르니</u> 귀여워 보인다.

	유의어	반의어
①	찌다	빠지다
②	옮기다	고정하다
③	높아지다	낮아지다
④	올라가다	내려가다
⑤	승차하다	하차하다

08 단어의 의미 관계를 고려할 때, 〈보기〉의 문장이 어색한 이유를 〈조건〉에 맞게 서술하시오.

┤ 보기 ├

나는 연기자가 되고 싶지만, 연예인이 장래 희망은 아니다.

┤ 조건 ├

1. 〈보기〉에 제시된 단어를 활용하여 설명할 것
2. '……이기 때문이다.' 형식의 문장으로 서술할 것

도움말

'연기자'와 '연예인'이 어떤 의미 관계인지 생각해 봐. 상하 관계라면 **❶** [   ] 가 의미상 하의어를 포함해야 하고, **❷** [   ] 는 의미상 상의어에 포함되어야 해.

답 ❶ 상의어 ❷ 하의어

09 다음 단어들의 의미 관계를 〈보기〉와 같이 정리할 때, 빈칸에 들어갈 알맞은 내용을 〈조건〉에 맞게 쓰시오.

고양이, 개, 동물, 사자, 기린

┤ 보기 ├

'동물'은 _____(1)_____ 이고, '_____(2)_____ '은/는 의미상 한 단어가 다른 단어에 포함되는 하의어이다.

┤ 조건 ├

1. (1)에는 '의미상'과 '포함'이라는 단어를 활용하여 쓸 것
2. (2)에는 해당하는 단어를 모두 쓸 것

(1) _____

(2) _____

10 다음 중 단어들의 의미 관계와 그 예시가 바르게 연결되지 <u>않은</u> 것은?

유의 관계	• 얇다 – 두껍다 ──────── ①
	• 빠르다 – 날쌔다 ──────── ②
반의 관계	• 맞다 – 틀리다 ──────── ③
	• 기쁘다 – 슬프다 ──────── ④
상하 관계	• 윗옷 – 티셔츠, 블라우스 ─── ⑤
	• 운동 – 농구, 축구, 달리기

11 '소년'과 의미 관계를 형성하는 단어를 〈보기〉와 같이 정리할 때, ⓐ～ⓒ에 들어갈 말을 바르게 짝지은 것은?

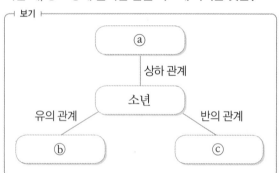

	ⓐ	ⓑ	ⓒ
①	남자	소녀	사내아이
②	남자	사내아이	소녀
③	여자	소녀	사내아이
④	여자	사내아이	소녀
⑤	사람	소녀	사내아이

도움말

'소년'과 상하 관계에 있는 단어는 '소년'이라는 하의어를 포함할 수 있는 일반적이고 포괄적인 의미를 지닌 상의어여야 해. '소년'과 유의 관계에 있는 단어는 [❶]는 다르지만 의미가 서로 비슷해야 하고, 소년과 반의 관계에 있는 단어는 의미가 서로 [❷]되는 관계에 있어야 해.

🔑 ❶ 말소리 ❷ 반대

[12~13] 다음 사전을 보고, 물음에 답하시오.

보다 「동사」

① 눈으로 대상의 존재나 형태적 특징을 알다.

② 눈으로 대상을 즐기거나 감상하다.

③ 일정한 목적 아래 만나다.

④ 맡아서 보살피거나 지키다.

⑤ 자신의 실력이 나타나도록 치르다.

12 ㉠, ㉡의 의미를 사전에서 찾아 그 번호를 쓰시오.

엄마: 누리야, 잠깐 볼까?
누리: 네, 무슨 일이신데요?
엄마: 시험 잘 ㉠보았니?
누리: 시험지야 자세히 잘 ㉡보았지요.
엄마: 장난하지 말고 어서 말하렴.

• ㉠: _____   • ㉡: _____

13 다음 중 사전을 보고 보인 반응으로 적절하지 <u>않은</u> 것은?

① '보다'는 두 가지 이상의 의미가 있는 다의어로군.

② 제시된 의미 중 ①이 '보다'의 중심적 의미이군.

③ ②～⑤는 ①의 의미에서 확장된 주변적 의미이규.

④ ①～⑤의 의미들은 서로 특별한 연관성을 가지고 있지는 않군.

⑤ '맞벌이 부부가 아이를 봐 줄 사람을 구했다.'에서는 '보다'가 ④의 의미로 사용되었군.

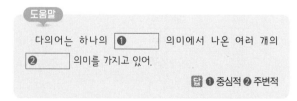

도움말

다의어는 하나의 [❶] 의미에서 나온 여러 개의 [❷] 의미를 가지고 있어.

🔑 ❶ 중심적 ❷ 주변적

14 다음 밑줄 친 두 단어에 대한 설명으로 적절하지 <u>않은</u> 것은?

바람이 불어서 다리가 흔들려!

무서워서 다리가 후들거려!

① 두 단어의 소리는 같다.
② 두 단어의 중심적 의미는 서로 다르다.
③ 두 단어의 의미는 서로 연관되어 있다.
④ 두 단어는 사전에 각각 다른 단어로 실린다.
⑤ 각 단어가 쓰인 상황을 고려하여 의미를 파악할 수 있다.

15 ⓐ, ⓑ의 의미를 〈보기〉에서 찾아 쓰고, 이를 바탕으로 두 단어가 어떤 관계인지 쓰시오.

┌ 보기 ┐

손01
　① 사람의 팔목 끝에 달린 부분.
　② 손가락.
　③ 일손.
　④ 어떤 일을 하는 데 드는 힘이나 노력, 기술.

손02
　① 다른 곳에서 찾아온 사람.
　② 여관이나 음식점 등의 영업하는 장소에 찾아온 사람.

• 그 일은 ⓐ손이 많이 간다.
• 아버지는 고향에서 찾아온 ⓑ손을 친절하게 대접했다.

---

(1) ⓐ의 의미
(2) ⓑ의 의미
(3) ⓐ와 ⓑ의 관계

16 다음 밑줄 친 두 단어의 의미 관계가 나머지와 <u>다른</u> 하나는?

① 글씨를 단정하게 잘 쓰고 있다.
　햇볕이 따가워서 모자를 쓰고 나갔다.
② 국수의 발이 가늘어서 맛있다.
　커튼 대신 대나무로 만든 발을 쳤다.
③ 머리를 숙여 공손하게 인사했다.
　머리가 금세 길어서 덥수룩해졌다.
④ 하룻밤 사이에 풀이 무성하게 자랐다.
　아빠의 꾸중을 듣고 아이가 풀이 죽었다.
⑤ 물을 끓이니 주전자에서 김이 풀풀 났다.
　김과 김치만 있으면 밥 두 그릇도 먹겠다.

도움말

동음이의어는 각각 다른 단어로 의미에 ❶□□□ 이 없는 반면, ❷□□□ 는 하나의 중심적 의미에서 나온 여러 개의 주변적 의미를 가진다는 특징이 있어.

답 ❶ 연관성 ❷ 다의어

17 다음 중 상황에 따른 어휘 활용이 적절하지 <u>않은</u> 것은?

댓글

↳ 진아: 운동선수인 지현이는 기자들과 인터뷰할 때 표준어를 사용하여 질문에 대답했어. ……… ①

↳ 지인: 의사인 수지는 응급 환자를 진료하면서 동료 의사들과 전문어를 사용하여 대화했어. …… ②

↳ 경준: 추석을 맞아 오랜만에 고향에 내려간 현수는 친척들과 지역 방언을 사용하여 대화했어. ·· ③

↳ 이재: 중학생인 예진이는 할아버지와 대화할 때 또래 친구들이 자주 쓰는 줄임 말을 사용했어. ·· ④

↳ 시우: 윤서는 특정 지역을 배경으로 한 소설을 쓰면서 등장인물들이 대화할 때 그 지역의 방언을 쓰도록 했어. ……………………………… ⑤

01 〈보기〉의 단어들을 다음과 같이 분류할 때, ㉠～㉢에 들어갈 단어가 바르게 나열된 것은?

┌ 보기 ┐
숟가락	홈페이지	친구
공지	새싹	달걀
치킨	버스	냉수

⬇ ⬇ ⬇

고유어	한자어	외래어
㉠	㉡	㉢

	㉠	㉡	㉢
①	새싹	냉수	친구
②	달걀	버스	홈페이지
③	버스	공지	숟가락
④	친구	달걀	홈페이지
⑤	숟가락	공지	치킨

02 ⓐ～ⓒ에 대한 설명으로 적절하지 <u>않은</u> 것은?

┌─────────────────────────┐
• 단옷날에 여자들은 ⓐ그네를 뛰었다.
• 오늘은 좋은 일이 생길 것 같은 ⓑ예감이 든다.
• 그녀는 세계적인 ⓒ패션모델로 활약하고 있다.
└─────────────────────────┘

① ⓐ는 고유어, ⓑ는 한자어, ⓒ는 외래어이다.
② ⓐ는 우리 민족의 고유한 문화를 잘 드러내는 말이다.
③ ⓑ는 고유어 '느낌'에 비해 세분화된 뜻을 지니고 있다.
④ ⓒ는 외국과의 교류를 통해 들어와 우리말 어휘를 보충해 준다.
⑤ ⓒ는 아직 우리말로 인정받지 못했으므로 반드시 고유어로 순화해서 써야 한다.

03 〈보기〉에서 사회자가 밑줄 친 부분과 같이 지역 방언을 사용한 이유를 〈조건〉에 맞게 서술하시오.

┌ 보기 ┐
사회자: 전국에 계신 시청자 여러분 안녕하십니까? 오늘도 노래자랑과 함께해 주셔서 감사합니다. 먼저 첫 번째 참가자를 모시겠습니다. 어머니, 이쪽으로 오세요. 그런데 왜 이리 땀을 흘리시나요? 긴장되십니까?
참가자: 하모예, 억수로 긴장됩니더.
사회자: <u>어무이, 여거 다 동네 사람들이니 긴장 안 하셔도 됩니더. 마음 단디 먹고 잘하실 수 있겠지예?</u>

┌ 조건 ┐
'참가자가 …… 하기 위해서이다.' 형식의 문장으로 쓸 것

[04~07] 다음을 읽고, 물음에 답하시오.

가 상인 1: 이 복숭아 한 상자당 ㉠대(이만 원)에 살 수 있을까요?

상인 2: 아뇨. 이거는 알이 굵어서 ㉡삼패(삼만 원)는 주셔야 해요.

손님: 무슨 말인지 알아들을 수가 없네.

나 손녀: 할아버지, 할머니, 저 오늘 생선으로 친구들한테 문상 받았어요!

할아버지: 생선을 어째?

할머니: 문상이라고? 누가 돌아가셨니?

다 윤아: 언니, 정말 오랜만이에요.

세영: 윤아도 그동안 잘 있었니?

재훈: 어, 누나! 정말 오랜만입니다.

세영: 재훈이도 잘 지냈어?

라 의사 1: ⓒ경막 외 출혈로 ⓔ오퍼러빌리티 있다고 환자 보호자에게 알려 드리세요.

의사 2: 네, 알겠습니다.

보호자: 선생님, 어떤가요?

의사 2: 뇌를 싸고 있는 막에서 피가 나는 상황이라 수술을 해야 합니다.

---

04 **(가)~(라)에서 사용하는 말에 대한 설명으로 적절한 것은?**

① 친근감을 표현하려고 지역 방언을 사용하고 있다.

② 비교적 짧은 시기에 유행하는 말을 사용하고 있다.

③ 상대방에게 웃음과 재미를 줄 수 있는 말을 사용하고 있다.

④ 특정 집단의 특성을 드러내는 사회 방언을 사용하고 있다.

⑤ 모든 사람과 원활하게 소통하기 위해 표준어를 사용하고 있다.

05 **ⓒ~ⓔ과 같은 말을 사용할 때 주의할 점으로 적절한 것은?**

① 아름다운 우리말인 고유어를 살려 쓰려고 노력해야 한다.

② 지역에 따라 말의 뜻이 달라질 수 있다는 점을 유의해야 한다.

③ 상대방에게 정신적 상처를 줄 수 있으므로 사용하지 말아야 한다.

④ 원활한 의사소통을 위해 많은 사람에게 말의 의미를 미리 알려 줘야 한다.

⑤ 말의 의미를 모르는 사람에게는 소외감을 느끼게 할 수 있으니 주의해야 한다.

06 **(나)에서 의사소통이 원활하게 이루어지지 않은 이유를 〈조건〉에 맞게 서술하시오.**

조건
1. 손녀가 사용한 말의 특성을 고려하여 쓸 것
2. '손녀가 ……했기 때문이다.' 형식의 문장으로 쓸 것

07 **(나)~(라)에서 사회 방언이 나타난 요인이 바르게 연결된 것은?**

	(나)	(다)	(라)
①	성별	직업	세대
②	세대	성별	직업
③	세대	직업	성별
④	직업	성별	세대
⑤	직업	세대	성별

08 **〈보기〉와 같이 지역 방언을 사용하여 얻을 수 있는 효과를 〈조건〉에 맞게 서술하시오.**

보기
  각 시역 관광지에 있는 팻말
• 강원도: 앵중에 또 오드래요.
• 경기도: 나중에 또 오세요.
• 충청도: 야중에 또 와유.
• 경상도: 난중에 또 오이소.
• 전라도: 나코 또 오랑께요.
• 제주도: 낭중에 또 옵서양.

또 올게요.

조건
  '……할 수 있다.' 형식의 문장으로 쓸 것

09 다음 중 단어의 의미 관계가 <u>다른</u> 하나는?

① 잡다 – 쥐다

② 이빨 – 치아

③ 가끔 – 이따금

④ 빠르다 – 느리다

⑤ 예쁘다 – 사랑스럽다

10 다음 중 밑줄 친 단어의 쓰임이 적절하지 <u>않은</u> 것은?

① 너희는 <u>사이</u>만 나면 싸우는구나.

② 남의 약점을 <u>이용</u>하다니 기가 막힌다.

③ 그 문제에 대한 내 생각은 너와 <u>다르다.</u>

④ 배추는 속이 노랗고 꽉 <u>찬</u> 것이 좋은 거야.

⑤ 짐을 다 넣기에는 이 여행 가방이 너무 <u>작아.</u>

11 〈보기〉의 문장에 사용된 '오르다'의 반의어를 바르게 연결한 것은?

┌ 보기 ┐

• 요즘 살이 ㉠<u>올라서</u> 맞는 옷이 없어.

• 산 정상에 ㉡<u>올라</u> 아래를 내려다 보았다.

• 배에 ㉢<u>오르려면</u> 먼저 표를 구입하셔야 합니다.

	㉠	㉡	㉢
①	내리다	빠지다	내려가다
②	빠지다	내려가다	내리다
③	빠지다	낮아지다	내리다
④	내려가다	내리다	빠지다
⑤	내려가다	낮아지다	내리다

12 〈보기〉의 밑줄 친 단어의 반의어가 바르게 연결되지 <u>않은</u> 것은?

┌ 보기 ┐

　어젯밤 전국적으로 ⓐ<u>가는</u> 비가 내렸는데요, 오늘 새벽에 비구름이 ⓑ<u>빠르게</u> 빠져나가 화창한 날씨가 예상됩니다. 오늘은 장화를 ⓒ<u>벗고</u> 가볍게 나가셔도 될 것 같습니다. 비가 그치면서 하늘은 높고 말을 ⓓ<u>살찐다는</u> 천고마비의 가을 날씨를 즐길 수 있겠습니다. 가로수들도 초록색 옷을 ⓔ<u>벗고</u> 알록달록한 옷으로 갈아입기 시작할 것입니다. 이번 주말에는 가족과 함께 나들이해 보시는 것은 어떨까요?

① ⓐ – 두껍다　　② ⓑ – 느리다

③ ⓒ – 신다　　④ ⓓ – 야위다

⑤ ⓔ – 입다

13 단어의 의미 관계에 대해 나눈 대화 내용으로 적절하지 <u>않은</u> 것은?

① '다음 – 나중'은 의미가 서로 비슷한 유의 관계야.

② 유의어라도 의미에 차이가 있으니 상황에 따라 적절한 말을 골라 써야 해.

③ 한 단어가 여러 단어와 반의 관계에 있는 경우도 있어.

④ 맞아. '품질이 좋다.'에서 '좋다'의 반의어는 '나쁘다'이지만 '배짱이 좋다.'에서 '좋다'의 반의어는 '싫다'야.

⑤ '옷 – 바지'에서 '옷'은 의미상 '바지'를 포함하고, '바지'는 '옷'에 포함되니까 이 단어들은 상하 관계야.

전송

14 다의어와 동음이의어의 차이점을 〈조건〉에 맞게 서술하시오.

조건
사전에 실리는 형식의 차이를 중심으로 쓸 것

15 다음 중 밑줄 친 단어의 의미 관계가 <u>다른</u> 하나는?

① ┌ 시험 잘 <u>보았</u>니?
└ 시험지야 자세히 잘 <u>보았</u>지요.

② ┌ 내 동생은 <u>머리</u>가 좋다.
└ 감기에 걸려서 <u>머리</u>가 아프다.

③ ┌ 나는 내 친구 정수가 <u>좋다</u>.
└ 이 가방은 품질이 정말 <u>좋다</u>.

④ ┌ 지방에 사는 친구에게 <u>갔다</u>.
└ 밥을 먹으러 근처 식당으로 <u>갔다</u>.

⑤ ┌ 파도가 높아서 <u>배</u>가 뜨지 못했다.
└ <u>배</u>를 깎아서 친구들과 나누어 먹으렴.

16 다음 문장이 어색한 이유를 〈조건〉에 맞게 서술하시오.

버스, 자가용, 지하철 등의 대중교통을 이용하여 환경을 보호하자.

조건
1. 단어들의 의미 관계를 고려할 것
2. 제시된 문장에 쓰인 단어를 활용할 것

17 다음 문장의 밑줄 친 '길'의 의미를 〈보기〉에서 찾아 그 번호를 쓰시오.

㉠ 그를 설득하는 <u>길</u>은 이것뿐이다.
㉡ 나는 기차를 타고 고향으로 가는 <u>길</u>이다.

보기
길 「명사」
① 사람이나 동물 또는 자동차 따위가 지나갈 수 있게 땅 위에 낸 일정한 너비의 공간.
② 물 위나 공중에서 일정하게 다니는 곳.
③ 걷거나 탈것을 타고 어느 곳으로 가는 노정.
④ 어떤 자격이나 신분으로서 주어진 도리나 임무.
⑤ 방법이나 수단.

• ㉠: _____   • ㉡: _____

18 다음은 국어사전에서 '배'를 찾은 내용이다. ⓐ∼ⓒ에 들어갈 예문으로 적절하지 <u>않은</u> 것은?

배01 사람이나 동물의 몸에서 위장, 창자, 콩팥 등의 내장이 들어 있는 곳으로 가슴과 엉덩이 사이의 부위.
예 _____ⓐ_____

배02 사람이나 짐 등을 싣고 물 위를 떠다니도록 나무나 쇠 등으로 만든 물건.
예 _____ⓑ_____

배03 배나무의 열매.
예 _____ⓒ_____

① ⓐ: 고등어는 등이 푸르고 배가 희다.
② ⓐ: 강아지가 배를 깔고 엎드려서 잔다.
③ ⓑ: 그 섬에는 하루에 두 번씩 배가 들어온다.
④ ⓑ: 우리 학교 야구부가 대통령 배에서 우승을 거두었다.
⑤ ⓒ: 나는 과일 중에서 배를 가장 좋아한다.

01 다음 그림 속 단어들을 제시된 기준에 따라 분류하시오.

바지
티셔츠
모자
잡채
불고기
딸기
오렌지
바게트
우유

(1) 고유어

(2) 한자어

(3) 외래어

도움말

우리말 어휘는 ❶ , 한자어, 외래어로 나눌 수 있어. 제시된 단어가 우리말에 본디부터 있던 말인지, ❷ 를 바탕으로 만들어진 말인지, 다른 나라에서 들어온 말인지를 생각하면서 분류해 봐.

답 ❶ 고유어 ❷ 한자

02 다음은 한자어의 특성을 탐구한 과정이다. 결론에 들어갈 내용을 한 문장으로 쓰시오.

| 의문 | 고유어와 비교할 때 한자어는 어떤 특성을 지니고 있을까? |

🔽

탐구

(1) 자전거를 고치다. → 수리하다

(2) 병원에서 병을 고치다. → 치료하다

(3) 서류에서 잘못된 부분을 고치다. → 수정하다

🔽

| 결론 | ( ) |

도움말

한자어는 대개 ❶ 에 비해 분화된 의미를 가지고 있어서 고유어를 ❷ 해 줘.

답 ❶ 고유어 ❷ 보완

03 (가)~(다)에 대한 설명으로 적절하지 <u>않은</u> 것은?

> **가** 친한 친구와 대화를 나누는 상황
> 진훈: 은수야, 훈련 잘돼 가냐?
> 은수: 그럼, 근디 연습을 허벌나게 많이 했더니 뻗치네.
> **나** 공식적인 기자 회견을 하는 상황
> 기자: 김은수 선수, 올림픽에 출전하는 각오를 말씀해 주세요.
> 은수: 그동안 열심히 훈련한 만큼 노력이 헛되지 않도록 최선을 다하겠습니다.
> **다** 할머니와 손자가 대화를 나누는 상황
> 손자: 할머니, 얼른 오세요. 드라마 본방 사수 해야죠.
> 할머니: 응? 뭔 사수?

① (가): 은수는 친밀한 사람과 사적인 대화를 나누면서 지역 방언을 사용하고 있다.

② (가): 은수가 사용한 '허벌나게'와 '뻗치네'는 운동선수 사이에서만 쓰이는 전문어이다.

③ (나): 은수는 공식적인 상황임을 고려하여 한 나라에서 공용어로 쓰도록 규범으로 정한 표준어를 사용하고 있다.

④ (다): 할머니가 손자의 말을 이해하지 못한 것은 세대에 따라 사용하는 어휘가 다르기 때문이다.

⑤ (다): 사회 방언은 사용할 때에는 상대방에게 이질감이나 소외감을 주지 않도록 주의해야 함을 알 수 있다.

> **도움말**
>
> 표준어는 모든 사람과 원활하게 의사소통할 수 있으므로 공식적인 상황에서 쓰기에 적절해. 지역에 따라 달라진 말인 **①**〔   〕은 사적인 대화를 나누는 비공식적인 상황에서 주로 쓰이며, 같은 지역 방언을 사용하는 사람들끼리는 돈독한 유대감을 형성할 수 있어. **②**〔   〕은 같은 사회 집단에 속하지 않는 사람에게는 소외감이나 이질감을 줄 수 있으므로 상황에 맞게 적절하게 사용해야 해.
>
> 답 **①** 지역 방언 **②** 사회 방언

04 〈보기〉에서 밑줄 친 단어를 사용하여 얻을 수 있는 효과를 서술하시오.

> **보기**
>
>

> **도움말**
>
> 전문어를 사용하면 말하고자 하는 **①**〔   〕를 정확하고 빠르게 전달할 수 있어서 해당 분야의 일을 효율적으로 **②**〔   〕할 수 있어.
>
> 답 **①** 의미 **②** 수행

05 〈보기〉에서 알 수 있는 유의어의 특징을 한 문장으로 서술하시오.

> **보기**
>
> • 동생이 방 (속(×), 안(○))에서 문을 안 열어요.
> • 밤부터 (얇은(×), 가는(○)) 비가 내릴 예정입니다.

> **도움말**
>
> 서로 뜻이 비슷한 **①**〔   〕라고 해도 미묘한 **②**〔   〕차이가 있어서 서로 바꾸어 쓸 수 없는 경우도 있어.
>
> 답 **①** 유의어 **②** 의미

06 다음과 같은 언어 차이가 생긴 이유로 적절한 것은?

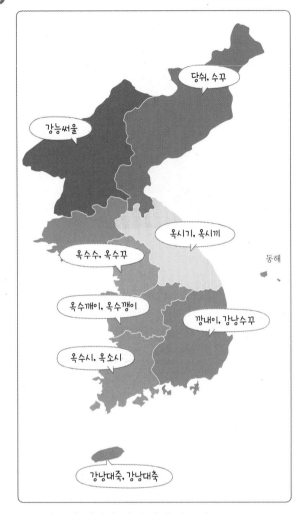

① 국가에서 실시한 언어 정책 때문에

② 국민에게 표준어를 쓰도록 장려했기 때문에

③ 성별에 따라 다르게 나타나는 언어적 특성 때문에

④ 산맥이나 강 등의 지리적인 이유로 교류가 어려웠기 때문에

⑤ 다른 사람들이 알아듣지 못하도록 일부러 다른 말로 바꾸어 불렀기 때문에

> **도움말**
>
> 한 언어에서 **❶** 에 따라 달라져서 형성된 각 지방의 말을 지역 방언이라고 해. 지리적 요인으로 인해 오랜 기간 **❷** 가 이루어지지 않으면 같은 언어라도 다른 모습으로 변하게 돼.
>
> **답 ❶ 지역 ❷ 교류**

07 다음 과제를 수행한 내용으로 적절하지 않은 것은?

> 과제: '벗다'가 사용된 문장을 찾고, 그 문장에 사용된 '벗다'의 반의어를 쓰시오.

	문장	반의어
①	배낭을 벗고 편히 쉬어라.	메다
②	몸무게를 재려고 옷을 벗었다.	입다
③	모자를 벗고 공손히 인사했다.	쓰다
④	방에 들어가기 전에 신발을 벗었다.	신다
⑤	재판을 통해 누명을 벗을 수 있었다.	지다

> **도움말**
>
> 한 단어와 짝이 되는 **❶** 는 여러 개가 있을 수 있어. '벗다'가 사용된 **❷** 을 고려하여 어떤 말이 반의어로 적절한지 생각해 봐.
>
> **답 ❶ 반의어 ❷ 문맥**

08 단어의 의미 관계를 고려하여, 〈보기〉에서 ㉠, ㉡에 들어갈 적절한 말을 찾아 쓰시오.

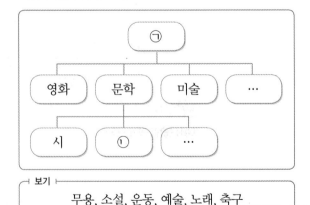

> 보기
>
> 무용, 소설, 운동, 예술, 노래, 축구

• ㉠: _____   • ㉡: _____

> **도움말**
>
> 일반적이고 포괄적인 의미를 지니면 **❶** 이고, 구체적이고 한정적인 의미를 지니면 **❷** 야.
>
> **답 ❶ 상의어 ❷ 하의어**

09 (가), (나)의 밑줄 친 말의 공통점에 대한 설명으로 적절한 것은?

가 재판장님, 재정 증인을 신청합니다!

나 이 사과 한 상자당 대(이만 원)에 살 수 있을까요?

아뇨. 이거 알이 굵어서 삼패(삼만 원)는 주셔야 해요.

① 다른 나라에서 들어온 말이지만 우리말처럼 쓰인다.

② 전문적인 일을 효과적으로 수행하기 위해서 사용하는 말이다.

③ 표준어로는 나타내기 어려운 정서와 느낌을 구체적으로 표현할 수 있다.

④ 의사소통에 방해가 될 수 있으므로 상황에 맞게 적절하게 사용해야 한다.

⑤ 비밀을 유지하는 목적으로 사용하며 외부에 알려지면 다른 말로 변경되기도 한다.

도움말

　(가)의 '재정 증인'처럼 법률, 의학, 방송, 요리 등의 특정 분야에서 전문적인 개념을 표현하기 위해 사용하는 말을 **❶ [　　　]** 라고 해. (나)의 '대', '삼패'는 다른 사람들이 알아듣지 못하도록 특정 집단 안에서 사용하는 말인 **❷ [　　]** 야.

답 ❶ 전문어 ❷ 은어

10 〈보기〉를 참고할 때, ⓐ에 들어갈 예문으로 적절한 것은?

보기

동음이의어: 소리는 같으나 의미가 다른 단어로, 중심적 의미가 서로 다르며 사전에 각각 다른 단어로 실림.

발01 ── 오래 걸었더니 발이 아팠다.

발02 ── ⓐ

① 실수로 친구 발을 밟았다.

② 새로 산 구두가 발에 꼭 맞았다.

③ 계단에서 발을 헛디뎌서 넘어졌다.

④ 나는 발이 커서 신발을 사기가 어렵다.

⑤ 그 선수는 홈런 한 발로 승리를 이끌었다.

도움말

　동음이의어는 **❶ [　　]** 의미가 서로 다르므로, '발02'에는 '발어'과 연관성이 없는 예문이 들어가야 해. 발어은 **'❷ [　　]** 이나 동물의 다리 맨 끝부분'을 의미해.

답 ❶ 중심적 ❷ 사람

권말 정리 마무리 전략

1주_언어의 본질

- ✦ 언어의 자의성: 언어의 의미(내용)와 말소리(형식)의 관계가 필연적이지 않음.

- ✦ 언어의 사회성: 언어는 사회적 약속이므로 어느 한 개인이 마음대로 바꿀 수 없음.

- ✦ 언어의 역사성: 언어는 시간의 흐름에 따라 끊임없이 변화함.

- ✦ 언어의 창조성: 인간은 이미 알고 있는 언어를 바탕으로 새로운 단어나 문장을 무한히 만들어 낼 수 있음.

2주_ 품사의 종류와 특성

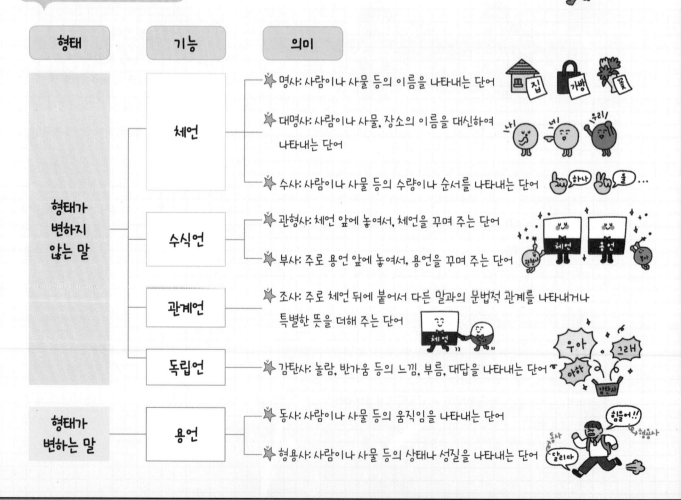

형태	기능	의미
형태가 변하지 않는 말	체언	✦ 명사: 사람이나 사물 등의 이름을 나타내는 단어
		✦ 대명사: 사람이나 사물, 장소의 이름을 대신하여 나타내는 단어
		✦ 수사: 사람이나 사물 등의 수량이나 순서를 나타내는 단어
	수식언	✦ 관형사: 체언 앞에 놓여서, 체언을 꾸며 주는 단어
		✦ 부사: 주로 용언 앞에 놓여서, 용언을 꾸며 주는 단어
	관계언	✦ 조사: 주로 체언 뒤에 붙어서 다른 말과의 문법적 관계를 나타내거나 특별한 뜻을 더해 주는 단어
	독립언	✦ 감탄사: 놀람, 반가움 등의 느낌, 부름, 대답을 나타내는 단어
형태가 변하는 말	용언	✦ 동사: 사람이나 사물 등의 움직임을 나타내는 단어
		✦ 형용사: 사람이나 사물 등의 상태나 성질을 나타내는 단어

3주_어휘의 체계와 양상

✿ 어휘의 체계

고유어	한자어	외래어
우리말에 본디부터 있던 말이나 이것에 기초하여 새로 만들어진 말	한자를 바탕으로 만들어진 말	다른 나라에서 들어온 말 가운데 우리말처럼 쓰이는 말
예 구름, 하늘, 돌, 지우개, 무지개	예 책상, 모자, 대화, 설명	예 티셔츠, 펜, 노트북, 스마트폰

✿ 어휘의 양상

지역적·사회적 요인

- 지역 방언: 한 언어에서 지역에 따라 달라져서 형성된 각 지방의 말
  예 '옥수수'를 일컫는 말이 지역에 따라 다름.

- 사회 방언: 세대나 직업, 성별 등 사회적 요인에 따라 다르게 쓰이는 말
  예 생파(생일 파티), 영애(令愛), 어레스트(심장 정지)

의미 관계

- 유의어: 말소리는 다르지만 의미가 서로 비슷한 관계에 있는 단어들
  예 틈 - 사이, 이따금 - 가끔, 두껍다 - 두툼하다

- 반의어: 의미가 서로 반대되는 관계에 있는 단어들
  예 낮 - 밤, 가끔 - 자주, 얇다 - 두껍다

- 상의어: 의미상 한 단어가 다른 단어를 포함하는 단어로, 대개 일반적이고 포괄적인 의미를 지님.

- 하의어: 의미상 한 단어가 다른 단어에 포함되는 단어로, 대개 구체적이고 한정적인 의미를 지님.

신유형·신경향·서술형 전략

01 다음 대화와 관련 있는 언어의 본질로 적절한 것은?

> 현진: (집을 가리키며) 한국에서는 이것을 '집'이라고 불러.
> 아야카: 일본에서는 이것을 いえ[이에]라고 부르지.
> 왕웨이: 중국에서는 이것을 家[지아]라고 불러.
> 클레어: 미국에서는 house[하우스]라고 해.

① 언어의 기호성
② 언어의 자의성
③ 언어의 사회성
④ 언어의 역사성
⑤ 언어의 창조성

02 〈보기〉의 지아에게 해 줄 수 있는 조언으로 적절한 것은?

> ┤ 보기 ├
> 지아는 오늘부터 '빵'을 '쿵쿵'이라고 부르기로 했다. 빵집에 들어간 지아가 "쿵쿵 주세요."라고 말하자 가게 주인이 이를 알아듣지 못해서 당황했다.
> 학교에 간 지아는 친구들에게도 "너 쿵쿵 좋아하니?"라고 물었지만 친구들은 "무슨 말이야?" 하고 되물었다. 지아가 계속해서 같은 질문을 반복하자, 친구들은 지아가 이상하다고 수군거렸다.

① 새로운 말을 만들 때에는 의미와 말소리의 필연적인 관계를 고려해야 해.
② 친구들에게 '빵'을 '쿵쿵'이라고 바꾸어 부르기로 했다고 먼저 알려 줘야 해.
③ '빵'을 [빵]이라고 부르기로 한 것은 사회적 약속이니까 함부로 바꾸면 안 돼.
④ 언어는 시간이 흘러도 절대로 변하지 않기 때문에 새로운 말을 만들면 안 돼.
⑤ '쿵쿵'이 표준어로 인정받으려면 시간이 걸리니까 그 전까지는 '빵'이라고 불러야 해.

03 ㉠~㉣ 중, 〈보기〉와 관련 있는 언어의 본질을 바르게 고른 것은?

> ┤ 보기 ├
> 프랑스인들은 침대를 '리', 책상을 '타블'이라 말하고, 그림은 '타블로', 의자는 '셰에즈'라 부른다. 그 말들을 사용하여 그들은 의견을 주고받는다. 중국인들도 그들끼리 역시 이런 식으로 의사소통한다.
> '무엇 때문에 침대를 사진이라고 부르면 안 된단 말인가.'
> 이렇게 생각하고 그 남자는 미소를 지었다. 그러고 나서 그는 껄껄 웃었다. 이웃 방 사람들이 벽을 두드리며
> "조용히 하시오."
> 하고 소리 지를 때까지 그는 웃어 댔다.
> "이제는 달라지는 거다."
> 하고 그는 외쳤다. 그리고 지금부터 침대를 '사진'이라고 말하기로 했다.

– 페터 빅셀, 〈책상은 책상이다〉

> ㉠ 언어의 자의성
> ㉡ 언어의 사회성
> ㉢ 언어의 역사성
> ㉣ 언어의 창조성

① ㉠, ㉡
② ㉠, ㉢
③ ㉡, ㉢
④ ㉠, ㉢, ㉣
⑤ ㉡, ㉢, ㉣

도움말

언어의 **❶**〔　　〕에 따르면 언어는 나라 또는 사회마다 달라질 수 있어. 그러나 언어가 사회적 약속으로 자리 잡은 뒤에는 그것을 지켜야 한다는 언어의 **❷**〔　　〕에 따라 소통해야 해.

답 ❶ 자의성 ❷ 사회성

04 다음 만화에 대한 설명으로 적절하지 <u>않은</u> 것은?

① 지금의 '복숭아'가 과거에는 '복셩화'로 불렸다.

② 시간이 흐르면서 말소리가 변한 사례가 나타나 있다.

③ 과거에 '슈박'으로 불리던 것이 지금은 '수박'으로 불린다.

④ '슈박'과 '수박'은 모두 '박과의 한해살이 덩굴풀'을 가리키는 말이다.

⑤ '복셩화'와 '복숑와'는 같은 대상을 의미하지만, '복숭아'는 그것과는 다른 대상을 의미한다.

05 다음 단어들의 공통점으로 적절한 것은?

> 연필, 그곳, 저희, 셋

① 문장에서 독립적으로 쓰인다.

② 문장에서 쓰일 때 형태가 변한다.

③ 문장에서 다른 단어를 꾸며 준다.

④ 문장에서 쓰일 때 조사와 결합할 수 있다.

⑤ 문장에서 체언에 붙어 특별한 뜻을 더해 주기도 한다.

06 (가)와 (나)에 대한 설명으로 적절하지 <u>않은</u> 것은?

> **가** 버섯불고기를 넣은 김밥은 '버불김밥', 고추장 불고기를 넣은 김밥은 '고불김밥'이라고 이름 붙였다.
>
> **나** 국민 실생활에서 많이 사용하지만 표준어 대접을 받지 못했던 '짜장면'과 '먹거리'를 비롯한 서른아홉 개 단어가 표준어로 인정되어 사전에 올랐다.

① (가): 언어의 창조성을 뒷받침할 수 있는 사례이다.

② (가): '버불김밥'과 '고불김밥'은 기존의 단어를 활용하지 않고 새로운 말을 만든 것이다.

③ (나): 시간이 흐름에 따라 언어가 변화한다는 사실을 알 수 있다.

④ (나): 현재는 표준어가 아닌 단어도 나중에는 표준어가 될 수 있음을 알 수 있다.

⑤ (나): '짜장면'과 '먹거리'를 표준어로 정한 것은 새로운 사회적 약속을 맺은 것이다.

> **도움말**
>
> 기존에 알고 있던 언어를 활용하여 새로운 단어나 문장을 만들어 내는 것은 언어의 **❶** [   ], 어떤 말이 사회적 약속으로 인정받아 표준어가 되는 것은 언어의 **❷** [   ]과 관련 있어.
>
> **답** ❶ 창조성 ❷ 사회성

서술형

07 〈보기〉의 밑줄 친 단어들이 문장에서 공통적으로 하는 역할을 서술하시오.

> **보기**
>
> <u>모든</u> 학생이 <u>천천히</u> 걷는다.

08 ㉠~㉢에 들어갈 단어가 바르게 연결된 것은?

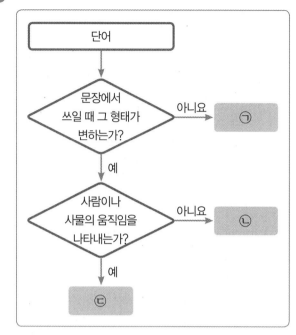

```
              단어
               ↓
      ┌─────────────────┐
      │ 문장에서         │  아니요
      │ 쓰일 때 그 형태가 │ ──────→  ㉠
      │ 변하는가?        │
      └─────────────────┘
               │ 예
               ↓
      ┌─────────────────┐
      │ 사람이나         │  아니요
      │ 사물의 움직임을   │ ──────→  ㉡
      │ 나타내는가?      │
      └─────────────────┘
               │ 예
               ↓
              ㉢
```

	㉠	㉡	㉢
①	헌	읽다	빠르다
②	앗	사람	좋다
③	하늘	예쁘다	말하다
④	그것	먹다	푸르다
⑤	달리다	하늘	날쌔다

도움말

문장에서 쓰일 때 형태가 변하는 것을 ❶   , 변하지 않는 것을 불변어라고 해. ㉠에는 불변어인 체언, 수식언, 관계언, 독립언(명사, 대명사, 수사, 관형사, 부사, 조사, 감탄사)이 들어갈 수 있어. ㉡에는 가변어이면서 사람이나 사물의 움직임을 나타내지 않는 형용사가, ㉢에는 가변어이면서 사람이나 사물 등의 움직임을 나타내는 ❷   가 들어가야 해.

답 ❶ 가변어 ❷ 동사

---

09 다음 밑줄 친 단어들의 품사를 〈조건〉에 맞게 서술하시오.

준희가 독서실에서 공부를 한다.

┌ 조건 ┐
1. 형태 변화, 기능, 의미를 기준으로 각각 어떤 품사에 해당하는지 모두 제시할 것
2. 품사를 제시할 때 품사 분류의 이유를 함께 밝힐 것

---

10 다음 밑줄 친 단어들에 대한 설명으로 적절한 것은?

우리 저녁에 피자 시켜 먹을까?

나는 치킨 먹고 싶은데. 샐러드도 같이 시킬까?

알았어. 내가 인터넷으로 지금 주문할게.

📷 _____ 전송

① 우리말에 기초하여 만들어진 말이다.
② 우리 민족이 지닌 고유한 정서와 문화를 잘 표현한다.
③ 한자어를 바탕으로 만들어진 말이므로 우리말로 바꿔 써야 한다.
④ 일상생활 속에서 자주 사용되지만, 우리말로 인정받지 못하고 있다.
⑤ 외국 문화와의 접촉을 통해 들어와 우리말 어휘를 보충해 주는 역할을 한다.

11 다음 중 ㉠~㉣에 대한 설명으로 적절하지 않은 것은?

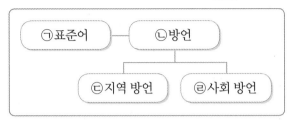

┌─────────────────────────┐
│ ㉠표준어 ─── ㉡방언   │
│   │
│   ㉢지역 방언   ㉣사회 방언 │
└─────────────────────────┘

① ㉠은 한 나라에서 공용어로 쓰도록 규범으로 정한 언어이다.

② ㉡은 한 언어에서 지역 또는 사회적 요인에 따라 달라진 말이다.

③ ㉢은 ㉠으로 나타내기 힘든 정서와 느낌을 표현할 수 있다.

④ ㉣을 사용하면 같은 집단의 구성원들끼리 의사소통을 효율적으로 할 수 있다.

⑤ ㉠은 주로 비공식적인 상황, ㉡은 공식적인 상황에서 사용되므로 서로 상호 보완적인 관계이다.

12 다음 속담 중 〈보기〉에서 설명하는 단어의 의미 관계가 나타나는 것은?

┤ 보기 ├
의미가 서로 반대되는 관계에 있는 단어

① 말 한마디에 천 냥 빚도 갚는다.

② 낮말은 새가 듣고 밤말은 쥐가 듣는다.

③ 말은 해야 맛이요 고기는 씹어야 맛이다.

④ 자라 보고 놀란 가슴 솥뚜껑 보고 놀란다.

⑤ 수박은 속을 봐야 알고 사람은 지내봐야 안다.

13 〈보기〉를 참고하여 ㉠, ㉡의 의미 관계를 〈조건〉에 맞게 서술하시오.

┤ 보기 ├

달다03

① 물건을 일정한 곳에 걸거나 매어 놓다.

② 물건을 일정한 곳에 붙이다.

달다07

① 꿀이나 설탕의 맛과 같다.

② 입맛이 당기도록 맛이 있다.

③ 흡족하여 기분이 좋다.

• 커피를 너무 ㉠달게 탔다.

• 점심을 ㉡달게 먹고 낮잠을 잤다.

┤ 조건 ├

1. ㉠, ㉡의 의미를 〈보기〉에서 각각 찾아서 밝힐 것

2. ㉠, ㉡의 의미 관계를 쓸 것

3. 완결된 한 문장으로 서술할 것

도움말

동음이의어는 ❶ [＿＿＿] 에 각각 다른 단어로 실리지만, ❷ [＿＿＿] 는 사전에 하나의 단어로 실린다는 점을 기억해.

답 ❶ 국어사전 ❷ 다의어

01 친구들에게 언어의 본질을 설명하기 위해 계획한 내용으로 적절하지 <u>않은</u> 것은?

① 어린아이가 배운 적 없는 새로운 문장을 만들어 내는 사례를 언어의 역사성과 관련지어 설명해야겠어.

② '사과'를 '도도'라고 바꾸어 불러서 의사소통에 문제가 생긴 상황을 통해 언어의 사회성을 설명해야겠어.

③ '어리다'라는 말이 '어리석다'라는 의미로 사용된 옛글을 찾았는데, 이를 바탕으로 언어의 역사성을 설명해야겠어.

④ '나무[나무]', 'tree[트리]', 'Baum[바움]'이 모두 '나무'를 뜻하는 것을 예로 들어 언어의 자의성을 설명해야겠어.

⑤ 언어의 창조성을 쉽게 이해할 수 있도록 친구들과 직접 몇 개의 단어로 다양한 문장을 만들어 보도록 해야겠어.

서술형

02 〈보기〉를 통해 알 수 있는 언어의 본질을 〈조건〉에 맞게 서술하시오.

┌ 보기 ┐
선생님: (집 사진을 보여 주며) 이것은 무엇일까요?
한국인 학생: 집[집]!
미국인 학생: house[하우스]!
중국인 학생: 家[지아]!

┌ 조건 ┐
1. 언어의 의미와 말소리의 관계가 드러나도록 서술할 것
2. 관련 있는 언어의 본질을 포함하여 서술할 것

고난도

03 〈보기〉의 ⓐ~ⓔ 중, 다음 신문 기사의 내용을 바르게 분석한 것을 모두 고른 것은?

> 방송인 정도만 '자장면'이라고 발음하는 '짜장면'이 마침내 표준어가 됐다. 국립국어원은 국민 실생활에서 많이 사용하지만 표준어 대접을 받지 못한 '짜장면'과 '먹거리'를 비롯한 서른아홉 개 단어를 표준어로 인정하고 이를 인터넷 '표준국어대사전'에 반영했다고 31일 밝혔다.
>
> – 《연합뉴스》, 2011년 8월 31일 자

┌ 보기 ┐
ⓐ 새로운 사회적 약속에 따라 '짜장면'을 표준어로 인정한 것이다.
ⓑ 그동안 '먹거리'가 표준어로 인정받지 못한 것은 언어의 자의성과 관련 있다.
ⓒ 표준어가 아니었던 '짜장면'이 표준어가 된 것은 언어의 역사성을 보여 준다.
ⓓ 표준어를 새롭게 정하고 이를 사전에 반영하는 것은 언어의 창조성과 관련 있다.
ⓔ 그동안 사람들이 표준어 '자장면'을 '짜장면'으로 발음한 것은 언어의 사회성 때문이다.

① ⓐ, ⓑ   ② ⓐ, ⓒ   ③ ⓑ, ⓓ
④ ⓐ, ⓒ, ⓔ   ⑤ ⓒ, ⓓ, ⓔ

제시된 기사에는 '짜장면'과 '먹거리'가 복수 표준어로 인정받으면서 언어가 변화하는 상황이 드러나 있어.

---

04 ㉠, ㉡에 공통적으로 드러난 언어의 본질을 쓰시오.

┌─────────┐
㉠ 국립국어원에서 '스타일리스트'를 대신할 우리말로 '맵시가꿈이'를 선정했다.
㉡ '구름', '하늘', '파랗다'라는 세 단어를 활용하여 열 가지도 넘는 문장을 만들어 낼 수 있다.
└─────────┘

05 다음 대화의 밑줄 친 부분에 대한 답으로 적절한 것은?

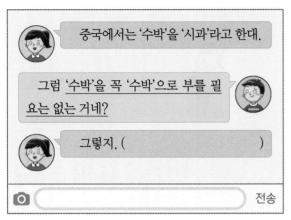

> 중국에서는 '수박'을 '시과'라고 한대.
>
> 그럼 '수박'을 꼭 '수박'으로 부를 필요는 없는 거네?
>
> 그렇지. (　　　　　　　　　　)
>
> 📷 [　　　　　　　　　　] 전송

① 언어의 내용과 형식은 필연적으로 결합했으니까.

② 다른 말로 바꾸어도 의사소통에 문제가 없으니까.

③ 언어의 의미에 맞는 말소리는 우연히 정해진 것이니까.

④ 사회적으로 굳어진 약속이지만 반드시 지킬 필요는 없으니까.

⑤ 언어는 시간의 흐름에 따라 없어지거나 새로 만들어지기도 하니까.

06 ⓐ~ⓓ 중, 〈보기〉의 설명에 해당하는 예로 적절한 것은?

┌ 보기 ┐
언어는 시간의 흐름에 따라 말소리나 의미가 변하기도 한다.

ⓐ 오늘날 우리가 '수박'이라고 부르는 것을 조선 시대 사람들은 '슈박'이라고 불렀다.

ⓑ '방갓'은 예전에, 밖에 나갈 때 쓰던 큰 갓을 이르는 말인데, 지금은 거의 쓰이지 않는다.

ⓒ '누리꾼'은 사이버 공간에서 활동하는 사람을 가리키는 말로, 인터넷이 보급되며 생겨났다.

ⓓ 중세 국어에서는 '어리다'가 '어리석다'라는 뜻으로 쓰였으나, 지금은 '나이가 적다'라는 뜻으로 쓰인다.

① ⓐ, ⓑ　　　② ⓐ, ⓓ　　　③ ⓑ, ⓒ

④ ⓑ, ⓓ　　　⑤ ⓒ, ⓓ

07 〈보기〉에 나타난 '그'의 행동으로 인해 생길 수 있는 문제점을 〈조건〉에 맞게 서술하시오.

> 침대를, 그는 사진이라고 말했다.
> 책상을, 그는 양탄자라고 말했다.
> 의자를, 그는 괘종시계라고 말했다.
> 신문을, 그는 침대라고 말했다. [중략]
> 　그는 모든 사물에 새로운 이름을 붙였다. 그러는 동안 점점 본래의 정확한 이름을 잊어버리게 되었다. 이제 그는 자기 혼자서만 사용할 수 있는 새로운 언어를 갖게 된 것이다.
> 　　　　　　　　　– 페터 빅셀, 〈책상은 책상이다〉

┌ 조건 ┐
1. 언어의 사회성과 관련지을 것
2. 60자 이내의 한 문장으로 서술할 것

언어가 의사소통 수단으로 기능할 수 있는 것은 언어의 사회성 때문이야.

08 〈보기〉를 읽고 보인 반응으로 적절하지 <u>않은</u> 것은?

┌ 보기 ┐
컴퓨터를 사용할 때 쓰는 ㉠마우스는 '쥐'를 뜻하는 영어의 ㉡마우스(mouse)와 같은 단어이다. 둥글고 긴 선이 달린 모양이 마치 쥐와 같다고 해서 마우스라는 이름이 붙여졌다.

① ㉡에 새로운 의미를 더해서 ㉠을 만들었어.

② ㉡이 '쥐'라는 의미와 결합한 것은 우연히 그렇게 맺어진 것이야.

③ ㉠이 사회적으로 통용될 수 있는 것은 사회 구성원들끼리의 약속이기 때문이야.

④ 새로운 사물을 가리키기 위해 ㉠을 만들어 낸 것은 언어의 창조성과 관련 있어.

⑤ ㉠의 뜻이 ㉡으로 바뀐 것에서 시간의 흐름에 따라 변화하는 언어의 역사성을 확인할 수 있어.

01 우리말 품사에 대한 설명으로 적절하지 <u>않은</u> 것은?

① 단어를 형태, 기능, 의미에 따라 나눈 것을 말한다.

② 동사와 형용사는 문장에서 쓰일 때 형태가 다양하게 변한다.

③ 명사, 대명사, 수사는 문장에서 격 조사와 결합하여 주어, 목적어, 보어로 주로 쓰인다.

④ 부사는 문장에서 주로 용언을 꾸며 주지만, 용언 외에 다른 부사나 관형사, 문장 전체를 꾸며 주기도 한다.

⑤ 관형사는 체언 앞에 놓여서 체언을 꾸며 주거나, 체언 뒤에 붙어서 다른 말과의 문법적 관계를 나타내 준다.

02 ⓐ~ⓔ 중, 가리키는 대상이 <u>다른</u> 하나는?

한 사람이 주머니를 들고 와서 방 안에 모인 사람들에게 내밀었다.

"스마트폰은 ⓐ여기에 넣으세요."

"ⓑ거기에 넣으면 다른 사람들 것과 뒤섞일 텐데요."

한 사람이 불만을 표시했다. 다른 사람들도 웅성거렸다.

"ⓒ그것 말고 다른 것은 없나요?"

"맞아요. ⓓ그것은 엉성해 보여서 불안해요."

"ⓔ여기 있는 사람들 모두 반대하는데 다른 방법을 찾아 주세요.

① ⓐ   ② ⓑ   ③ ⓒ

④ ⓓ   ⑤ ⓔ

대명사는 사람, 사물, 장소의 이름을 대신하여 가리키는 단어야. 글의 앞뒤 문맥을 살펴보면서 '여기', '거기' 등이 어떤 말을 가리키는지 찾아봐.

03 다음 밑줄 친 조사 중에서 〈보기〉와 같은 의미를 더해 주는 것은?

보기

다른 것으로부터 제한하여 어느 것을 한정함을 나타내.

① 민수<u>가</u> 집에 갔다.   ② 민수<u>도</u> 집에 갔다.

③ 민수<u>만</u> 집에 갔다.   ④ 민수<u>는</u> 집에 갔다.

⑤ 민수<u>마저</u> 집에 갔다.

04 다음 중 밑줄 친 단어의 품사가 바르게 연결된 것은?

① 그는 공부<u>밖에</u> 모른다. – 명사

② <u>과연</u> 이 문제를 풀 수 있을까? – 감탄사

③ 나는 친구와 <u>함께</u> 도서관에 갔다. – 부사

④ 너는 <u>어떤</u> 과일을 가장 좋아하니? – 형용사

⑤ <u>어머나</u>, 밤새 눈이 정말 많이 내렸네요! – 조사

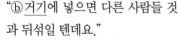

05 ㉠과 ㉡의 차이를 〈조건〉에 맞게 서술하시오.

• 영주가 사과 <u>다섯</u> 개를 가지고 왔다.
                ㉠

• 어머니는 혼자 힘으로 우리 남매 <u>다섯</u>을 키우셨다.
                               ㉡

조건

1. ㉠, ㉡이 문장에서 어떤 기능을 하는지를 중심으로 쓸 것

2. ㉠, ㉡이 의미상 어떤 품사에 해당하는지 포함할 것

06 _{고난도} 다음 중 밑줄 친 단어가 같은 품사로 짝지어진 것은?

① ┌ 만세! 대한민국 만세!
  └ 모두 한마음으로 만세를 불렀다.

② ┌ 어제 산 연필이 보이지 않아.
  └ 저기에 네가 놓고 갔잖아.

③ ┌ 모기가 정말 바람같이 사라졌어.
  └ 우리 불을 켜고, 같이 모기를 잡자.

④ ┌ 비가 그치고 하늘이 말끔히 개었어.
  └ 그래, 하늘이 눈부시게 아름다워.

⑤ ┌ 네가 생각하는 것만큼 쉬운 일이 아니야.
  └ 아니, 내게는 이게 제일 쉬운 일이야.

> 같은 단어라도 문장에서 어떻게 쓰이느냐에 따라 품사가 달라질 수 있어.

07 _{고난도} 다음 빈칸에 들어갈 수 있는 품사의 특성으로 알맞은 것은?

> • (　　　)이/가 날리기를 한다.
> • 명수는 (　　　)을/를 좋아한다.
> • 동생은 이제 (　　　)이/가 아니다.
> • 하나에 둘을 더하면 (　　　)이/가 된다.

① 단어들 사이의 관계를 나타낸다.
② 다른 단어를 꾸며 주는 역할을 한다.
③ 대상의 동작, 상태, 성질을 설명해 준다.
④ 문장에서 사용될 때 형태가 변하지 않는다.
⑤ 다른 단어와 관계없이 독립적으로 사용된다.

08 〈보기〉의 문장에 사용된 품사를 모두 쓰시오.

┌ 보기 ─────────────

밥을 너무 많이 먹어서 배가 부르다.
└──────────────────

09 다음 중 ⓐ~ⓔ에 대한 설명으로 적절한 것은?

> 　새벽에 졸린 ⓐ눈을 비비며, 운동을 하러 친구와 ⓑ같이 공원에 갔다. 그곳에는 많은 사람이 운동을 하기 위해 나와 있었다. 그런데 갑자기 친구가 내 신발을 보며 ⓒ웃었다.
> 　"ⓓ유정아, 너 운동화가 짝짝이잖아."
> 　나는 얼른 발을 내려다보았다. 정말이었다. 잠이 덜 깬 상태로 나오다가 서로 다른 운동화를 한 짝씩 신고 나온 것이었다.
> 　주변에 있던 ⓔ모두가 나를 쳐다보는 것 같아 정말 창피했다.

① ⓐ: 추상적인 대상을 나타내는 단어이다.
② ⓑ: 다른 말과의 관계를 나타내 주는 조사이므로 앞말에 붙여 써야 한다.
③ ⓒ: 사람이나 사물 등의 성질이나 상태를 나타내는 형용사이다.
④ ⓓ: 누군가를 부르는 말로, 다른 말과 관계를 맺지 않고 쓰이는 감탄사이다.
⑤ ⓔ: 뒤에 조사가 붙을 수 있으며, 문장 안에서 동작이나 상태의 주체 역할을 한다.

고난도 해결 전략 3회

01 〈보기〉에 대한 설명으로 적절하지 <u>않은</u> 것은?

보기

(가)	(나)	(다)
옷	교복	버스
나이	연세	원피스
불고기	색연필	바이올린

① 우리말 어휘를 고유어, 한자어, 외래어로 분류하여 나타낸 것이다.
② (가)에는 촉감, 색깔, 소리 등을 생생하게 표현할 수 있는 어휘가 많다.
③ (나)는 한자에 기초하여 만들어진 말로, (가)에 비해 전문적인 개념을 나타내기도 한다.
④ (다)와 같은 어휘는 새로운 문물이 지속적으로 들어오면서 그 수가 계속 늘어나고 있다.
⑤ '그네', '달맞이', '강강술래'는 (나)에 속하고, '컴퓨터', '티셔츠', '헬리콥터'는 (다)에 속한다.

02 ⓐ~ⓔ 중, 우리말 어휘의 체계와 양상에 대한 설명으로 바르지 않은 것끼리 짝지어진 것은?

> ⓐ 한자어와 외래어는 우리말 어휘를 보완하거나 보충해.
> ⓑ 외래어는 다른 나라에서 들어온 말이지만 우리말로 인정받고 있어.
> ⓒ '쪼깐, 쬐까, 죠기, 쉐기, 뙤꼼'은 '조금'의 방언으로 지역에 따라 달라진 말이야.
> ⓓ 본디부터 있던 우리말을 바탕으로 했더라도 새로 만든 말은 고유어로 볼 수 없어.
> ⓔ 지역 방언과 사회 방언은 다른 사람을 소외시키기 때문에 반드시 표준어를 써야 해.

① ⓐ, ⓑ ② ⓐ, ⓒ ③ ⓑ, ⓓ
④ ⓒ, ⓔ ⑤ ⓓ, ⓔ

03 작품에 사용된 어휘의 특성에 주목할 때, 〈보기〉의 작품을 홍보하는 문구로 적절한 것은?

보기

'오—매 단풍 들것네.'
장광에 골 붉은 감잎 날아와
누이는 놀란 듯이 치어다보며
'오—매 단풍 들것네.'

– 김영랑, 〈오—매 단풍 들것네〉

① 복잡하고 어려운 내용을 재미있게 풀어낸 작품!
② 지역의 정서와 향토색을 풍부하게 드러낸 작품!
③ 청소년들에게 참신한 상상력을 키워 주는 작품!
④ 여러 번 읽어야 참된 의미를 깨달을 수 있는 작품!
⑤ 작가와 독자가 서로 친밀감을 느낄 수 있는 작품!

> 지역 방언을 사용한 문학 작품에는 그 지역의 특색과 향토적인 정서가 잘 드러나.

04 (가), (나)에 쓰인 어휘와 관련된 사회적 요인을 쓰시오.

> **가** 상인 1: 이 사과 한 상자당 대(이만 원)에 살 수 있을까요?
> 상인 2: 아뇨. 이거 알이 굵어서 삼패(삼만 원)는 주셔야 해요.
> **나** 손자: 저 오늘 피방 안 가고 열공했어요.
> 할아버지: 뭘 어떻게 해?
> 손자: 오늘 피시방 안 가고 열심히 공부했다고요.

• (가): _____ • (나): _____

고난도 서술형

05 사회자가 [A], [B]에서 각각 다른 말을 사용한 이유를 〈조건〉에 맞게 서술하시오.

> 사회자: 전국에 계신 시청자 여러분 안녕하십
> 니까? 오늘도 노래자랑과 함께해 주셔서 감
> 사합니다. 먼저 첫 번째 참가자를 모시겠습 [A]
> 니다. 어머니, 이쪽으로 오세요. 그런데 왜
> 이리 땀을 흘리시나요? 긴장되십니까?
> 참가자: 하모예, 억수로 긴장됩니더.
> 사회자: 어무이, 여거 다
> 동네 사람들이니 긴장
> 안 하셔도 됩니더. 마음 [B]
> 단디 먹고 잘하실 수 있
> 겠지예?

┌ 조건 ┐
1. [A], [B]에서 사용한 말을 무엇이라고 하는지 각 각 밝힐 것
2. 65자 이내의 한 문장으로 서술할 것

06 〈보기〉의 밑줄 친 어휘에 대한 설명으로 적절한 것은?

┌ 보기 ┐
의사: 이 환자, 럽처는 아니니 엔세이드 쓰면서 얼 음찜질하면 되겠네요.
간호사: 네, 알겠습니다.

① 지역적 요인에 의해 달라진 말이다.
② 외래어이므로 고유어로 순화해서 써야 한다.
③ 모든 사람과 원활하고 효율적으로 의사소통할 수 있다.
④ 해당 분야의 일을 효율적으로 수행하기 위해서 사용한다.
⑤ 비교적 짧은 시기에 걸쳐 여러 사람의 입에 오르 내리는 말이다.

07 다음 중 밑줄 친 단어의 의미 관계가 잘못 짝지어진 것은?

	문장	의미 관계
①	• 나는 가끔 공원에서 운동을 한다. • 나는 이사 간 친구와 이따금 연락을 한다.	유의 관계
②	• 날이 더워서 외투를 벗었다. • 햇볕이 따가워서 모자를 썼다.	반의 관계
③	• 진희는 꽃을 매우 좋아한다. • 우주가 꽃집에서 장미를 샀다.	상하 관계
④	• 등산을 했더니 다리가 아프다. • 의자 다리에 못을 박았다.	다의 관계
⑤	• 지호가 이번 시험을 잘 봤다. • 어제는 야구 경기를 봤다.	동음이의 관계

> 다의어는 두 가지 이상의 의미가 있는 단어이고, 동음이의어는 소리는 같으나 의미가 다른 단어야.

고난도 서술형

08 (가), (나)의 밑줄 친 단어들의 의미 관계를 〈조건〉에 맞게 서술하시오.

> **가** 강아지가 배를 깔고 누웠다.
> 파도가 높아서 배가 흔들렸다.
> 배를 깎아서 나누어 먹어라.
> **나** 내 동생은 머리가 정말 좋다.
> 머리가 아파서 약을 먹었다.
> 머리가 길어서 말리는 데 시간이 걸린다.

┌ 조건 ┐
1. '중심적 의미'와 '주변적 의미'를 활용하여 쓸 것
2. '(가)의 '배'는 …… 관계이고, (나)의 '머리'는 …… 관계이다.' 형식의 문장으로 쓸 것

내신 고득점을 위한 필수 심화 학습서

중학 일등전략

전과목 시리즈

체계적인 시험대비	1등을 위한 공부법	문제유형 완전 정복
주 3일, 하루 6쪽 구성 총 2~3주의 분량으로 빠르고 완벽하게 시험 대비!	탄탄한 중학 개념 기본기에 실전 문제풀이의 감각을 더해 어떠한 상황에도 자신감 UP!	기출문제 분석을 통해 개념 확인 유형부터 서술형, 고난도 유형까지 다양하게 마스터!

완벽한 1등 만들기! 전과목 내신 대비서

국어: 예비중~중3(문학1~3/문법1~3)

영어: 중2~3

수학: 중1~3(학기용)

사회: 중1~3(사회①, 사회②, 역사①, 역사②)

과학: 중1~3(학기용)

book.chunjae.co.kr

교재 내용 문의 ························· 교재 홈페이지 ▶ 중학 ▶ 교재상담
교재 내용 외 문의 ···················· 교재 홈페이지 ▶ 고객센터 ▶ 1:1문의
발간 후 발견되는 오류 ············ 교재 홈페이지 ▶ 중학 ▶ 학습지원 ▶ 학습자료실

일등공략 필승학습!
단기간에 끝장내자!

중학 국어 문법 1

BOOK 2
정답과 해설

특목고 대비
일등
전략

 천재교육

book.chunjae.co.kr

중학 국어 문법 1

BOOK 2
정답과 해설

정답과 해설
차례

정답과 해설

정답과 해설

1주 언어의 본질

1일 개념 돌파 전략 **1** 8~9쪽

01 (1) 형식 (2) 내용 02 다르게 03 언어의 자의성 04 없
다 05 (1) ⓒ (2) ㉠ (3) ⓑ 06 언어의 사회성 07 있다
08 언어의 창조성

01 (1) [사과]는 '사과'라는 단어를 발음할 때 나는 말소리로, 언어의 형식에 해당한다.
(2) '사과나무의 열매'는 '사과'라는 단어가 가리키는 대상의 의미로, 언어의 내용에 해당한다.

02 언어의 의미와 말소리의 관계는 자의적이므로 같은 의미를 나타내는 말소리가 각 언어마다 다르게 나타난다.

03 '얼굴'이라는 말소리와 그 의미의 관계가 필연적이지 않기 때문에 '낯', '안면'과 같이 '얼굴'과 의미가 유사한 단어가 존재할 수 있으며, 이는 언어의 자의성과 관련 있다.

04 언어는 그 언어를 사용하는 사람들 사이의 사회적 약속이므로 어느 한 개인이 마음대로 바꿀 수 없다.

05 (1) '어리다'는 '어리석다'에서 '나이가 적다'로 의미가 변한 말이다.
(2) '뫼', '즈믄'은 현재는 쓰이지 않게 되어 사라진 말이다.
(3) '댓글', '스마트폰'은 새로운 사물이 생겨나면서 새로 만들어진 말이다.

06 제시된 대화에서 아들이 '학교'를 '책상'이라고 마음대로 바꾸어 불러서 엄마와의 의사소통에 문제가 발생했다. 언어는 그 언어를 사용하는 사람들 사이의 사회적 약속이므로 개인이 마음대로 바꾸어 쓸 수 없다는 것은 언어의 사회성과 관련 있다.

07 인간은 이미 알고 있는 단어를 활용하여 무수히 많은 문장을 만들어 낼 수 있다.

08 아이가 이미 알고 있는 언어를 바탕으로 새로운 문장을 만들어 내는 것은 언어의 창조성과 관련 있다.

1일 개념 돌파 전략 **2** 10~13쪽

01 ㉠ 언어 ⓛ 의미 ⓒ 말소리 02 (1) ② (2) ⓒ (3) ㉠ (4) ⓛ
03 ② 04 ① 05 ⑤ 06 언어의 창조성 07 (1) 언어의 자
의성 (2) 언어의 사회성 08 ⑤ 09 ㉠, ⓛ 10 언어의 자의성
11 ③, ④ 12 ⑤

01 언어는 의사 전달의 기본적인 도구로, 음성(말)이나 문자(글)로 생각이나 느낌을 표현하는 수단과 체계이다. 언어는 내용과 형식으로 이루어져 있으며, 단어가 가리키는 의미는 언어의 내용, 단어의 말소리는 언어의 형식이다.

02 (1) 언어는 시간의 흐름에 따라 쓰이던 말이 쓰이지 않게 되어 사라지거나, 의미나 말소리가 변하거나, 없던 말이 생기기도 하는데, 이러한 언어의 특성을 역사성이라고 한다.
(2) 언어의 의미와 말소리는 필연적으로 결합한 것이 아니라 우연히 그렇게 맺어진 것으로, 이러한 언어의 특성을 자의성이라고 한다.
(3) 언어는 그 언어를 사용하는 사람들 사이의 사회적 약속이므로 개인이 마음대로 바꿀 수 없는데, 이러한 언어의 특성을 사회성이라고 한다.
(4) 인간은 새로운 단어나 문장을 끊임없이 만들 수 있는데, 이러한 언어의 특성을 창조성이라고 한다.

03 〈보기〉에 제시된 '돼지[돼ː지]', 'pig[피그]', 'ぶた[부타]', 'Schwein[슈바인]'은 모두 같은 대상을 가리키는 단어이지만 언어별로 말소리가 다르다. 이는 언어의 의미와 그 의미를 나타내는 말소리의 관계가 필연적이지 않다는 언어의 자의성을 보여 준다.

04 제시된 상황에서는 남학생이 '빛의 자극을 받아 물체를 볼 수 있는 감각 기관'을 '눈'이라고 부르기로 한 사회적 약속을 어겨서 여학생과의 의사소통이 원활하게 이루어지지 않았다. 언어는 사회적 약속이기 때문에 어느 한 개인이 마음대로 바꿀 수 없다.

05 '고맙다'라는 의미를 나타내는 말소리가 언어마다 다른 것은 언어의 자의성을 보여 주는 예이다. 언어의 역사성은 시간의 흐름에 따라 쓰이던 말이 쓰이지 않게 되어 사라지거나, 의미나 말소리가 변하거나, 없던 말이 생기는 것과 관련 있다.

오답 풀이
①, ② '복숭아'와 '뿌리'는 말소리가 변한 말이다.
③ '누리꾼', '스마트폰'은 새로운 사물이 생겨나면서 새로 만들어진 말이다.
④ '미르', '즈믄', '슈룹' 등은 오늘날 더 이상 쓰이지 않게 되어 사라진 말이다.

06 〈보기〉에서 학생들은 '하늘'과 '구름'이라는 단어를 활용하여 다양한 문장을 만들고 있는데, 이를 통해 인간은 새로운 단어나 문장을 무한히 만들어 낼 수 있다는 언어의 창조성을 알 수 있다.

07 (1) 제시된 그림에는 '나비'를 나타내는 말소리가 언어마다 다르게 나타나 있다. 이는 언어의 의미와 말소리의 관계가 필연적이지 않다는 언어의 자의성과 관련 있다.
(2) 제시된 그림에는 학생이 '주스'를 '휴대 전화'로 바꾸어 불러서 의사소통이 원활하지 못한 상황이 나타나 있다. 이는 언어가 그 언어를 사용하는 사람들 사이의 사회적 약속이라는 언어의 사회성과 관련 있다.

08 〈보기〉에서 설명하는 언어의 본질은 언어의 역사성이다. ⑤의 '어여쁘다'는 의미가 변한 말로 언어의 역사성을 뒷받침하는 예이다.

09 이미 알고 있는 단어들을 결합해 새로운 단어를 만드는 것(㉠), 단어들을 결합해 새로운 문장을 무한히 만들어 낼 수 있는 것(㉡)은 모두 언어의 창조성을 뒷받침하는 예이다.

10 새로운 소행성을 발견했을 때 이를 발견한 사람이 소행성의 이름을 지을 수 있는 것은 소행성 자체와 소행성을 가리키는 말소리 사이에 필연적인 관계가 없기 때문이다. 또한 같은 대상을 나타내는 비슷한 단어들이 존재한다는 것은 언어의 의미와 말소리의 관계가 자의적임을 보여 준다.

11 '자장면'을 많은 사람이 '짜장면'으로 발음해서 '짜장면'을 표준어로 인정하는 사회적인 약속을 새로 맺은 것이므로 이는 언어의 사회성과 관련 있다. 또한 과거에는 표준어가 아니었던 '짜장면'이 표준어가 된 것은 시간이 지남에 따라 언어가 변한다는 언어의 역사성과 관련 있다.

12 〈보기〉는 알고 있는 단어를 활용하여 새로운 문장을 끊임없이 만들어 내는 언어의 창조성을 나타내는 예에 해당한다.

1 ① **1-1** ④ **2** ① **2-1** ⑤ **3** ② **3-1** ㉡, ㉣ **4** ④
4-1 ⑤

1 언어의 의미와 말소리의 관계는 우연히 그렇게 맺어진 것으로, 언어의 의미와 말소리 사이에는 필연적인 관계가 없다.

1-1 언어는 같은 언어를 사용하는 사람들 사이의 약속이므로 개인이 함부로 바꿀 수 없지만, 시간의 흐름에 따라 쓰이던 말이 쓰이지 않게 되어 사라지거나, 의미나 말소리가 변하거나, 필요에 의해 새로운 말이 생기기도 한다. 이는 언어의 역사성과 관련 있다.

　오답 풀이

① 개인이 '고양이'를 마음대로 '사자'로 바꾸어 부를 수 없는 것은 언어가 사회적 약속이라는 언어의 사회성과 관련 있다.

② '사과'를 나타내는 말소리가 언어별로 다르게 나타나는 것은 언어의 의미와 말소리의 관계가 필연적이지 않다는 언어의 자의성과 관련 있다.

③ 인간이 새로운 단어나 문장을 계속해서 만들어 낼 수 있는 것은 언어의 창조성과 관련 있다.

⑤ 같은 대상을 가리키는 단어도 시간이 지나면 말소리가 달라진다는 점에서 시간의 흐름에 따라 끊임없이 변화하는 언어의 역사성을 확인할 수 있다.

2 '나비'라는 의미를 표현하는 말소리가 언어마다 다른 것은 언어의 자의성과 관련 있다. 언어의 의미와 말소리 사이에 필연적인 관계가 없기 때문에 같은 의미를 서로 다른 말소리로 나타내는 것이다.

2-1 제시된 상황에서 '수박', '시과' '워터멜론'은 각각 한국어, 중국어, 영어에서 '수박'을 표현하는 말소리로, 시간이 흐르면서 말소리가 변한 것이라는 설명은 적절하지 않다.

3 언어는 사회적 약속이므로 개인이 함부로 바꾸어 쓸 수 없다는 언어의 사회성을 설명할 수 있는 예로 적절한 것은 '강'을 '다다'라고 불러 의사소통에 문제가 생긴 ②이다.

　오답 풀이

①, ⑤ 언어의 역사성을 설명할 수 있는 사례이다.
③, ④ 언어의 자의성을 설명할 수 있는 사례이다.

3-1 우리나라에서는 '딸기속 식물'을 '딸기'로 부르자고 사회적 약속을 맺었기 때문에 반드시 '딸기'라고 불러야 하며, '차차'라고 마음대로 바꾸어 부르면 다른 사람들과의 의사소통에 문제가 생긴다.

4 '나비'라는 의미를 표현하는 말소리가 나라마다 다른 것은 언어의 자의성을 보여 주는 예로, 언어의 역사성과는 관련이 없다.

4-1 제시된 대화에는 시간의 흐름에 따라 말소리가 변화한 예가 나타나 있다. '슈박'이 '수박'으로, '복셩화'가 '복숭아'로 바뀐 사례를 통해 같은 대상을 가리키는 말도 시간이 지나면 변할 수 있음을 알 수 있다.

　오답 풀이

①, ② '슈박'이 '수박'으로, '복셩화'가 '복숭아'로 바뀌었으므로 '수박'과 '복숭아'는 말소리가 변한 말이다.
③ '수박'과 '복숭아'를 바꾸어 부르면 의사소통에 문제가 발생한다.
④ '복숭아'는 예전에 '복셩화'로 불리다가 그 말소리가 바뀐 말이다.

'나모'로구나!　'나무'다!

01 ④　02 (1) 나비 (2) 언어의 자의성　03 ③　04 ④　05 ⓐ, ⓒ, ⓓ　06 (1) 즈믄 (2) 언어의 역사성　07 ③　08 ④　09 ②　10 ①　11 현재는 '열매'라고 부르는 대상을 과거에는 '여름'이라고 불렀다는 예시를 통해 언어의 역사성을 확인할 수 있다. 12 ㉠ 언어의 사회성 ㉡ 언어의 자의성　13 ②　14 시간의 흐름에 따라 끊임없이 변화한다　15 언어의 사회성　16 ⑤

01 특정한 의미를 나타내는 말소리에 마음대로 새로운 이름을 붙이는 것은 사회적 약속을 어기는 것으로, 언어의 사회성에 어긋난다. 언어의 창조성은 이미 알고 있는 언어를 바탕으로 새로운 단어나 문장을 무한히 만들 수 있는 것을 의미한다.

02 제시된 그림의 의미를 한국어에서는 '나비'라는 말소리로 표현한다. 같은 의미를 나타내는 말소리가 언어별로 다양하게 나타나는 것은 언어의 자의성과 관련 있다.

03 동일한 대상이라도 언어마다 말소리가 다르게 나타나는 것에서 언어의 의미와 말소리의 관계가 필연적이지 않음을 알 수 있으며, 이는 언어의 자의성과 관련 있다.

04 성호가 '수박'을 '수박'이라고 부르기로 한 사회적 약속을 어기고 '수박' 대신에 '몽미'라는 말을 써서 가게 주인과의 의사소통에 문제가 생겼다.

05 언어의 자의성은 언어의 의미(내용)와 말소리(형식)의 관계가 필연적이지 않다는 것이다. 만약 언어의 의미와 말소리의 관계가 필연적이라면 전 세계에서 사용하는 언어가 동일해야 한다. 하지만 그렇지 않기 때문에 '개'를 의미하는 각 나라의 말소리가 다르게 나타난다.

06 '즈믄'은 '천(千)'을 뜻하는 옛말로, 현재는 쓰이지 않는다. 이처럼 시간의 흐름에 따라 쓰이던 말이 쓰이지 않게 되어 사라지는 것은 언어의 역사성과 관련 있다.

07 ㉠은 물체를 볼 수 있는 감각 기관을 '눈'이라고 부르기로 한 사회적 약속을 어기고 개인이 마음대로 '코'라고 바꾸어 부름으로써 의사소통에 문제가 생긴 경우로, 언어의 사회성을 어긴 예다. 강아지에게 새로운 이름을 지어 주는 것은 언어의 의미와 말소리의 관계가 필연적이지 않다는 언어의 자의성과 관련 있다.

08 기존의 표준어는 '괴발개발'이었고, '개발새발'이 복수 표준어로 추가된 것이므로 '괴발개발'과 '개발새발'을 모두 사용해도 된다.

09 '꽃'은 예전에 '곶'이라고 불렸으므로 말소리가 변한 예이고, '놈'은 그 뜻이 달라졌으므로 의미가 변한 예이다. 이처럼 사회적으로 정해진 말들도 시간의 흐름에 따라 조금씩 변하기도 하는데, 이를 언어의 역사성이라고 한다.

10 언어는 시간의 흐름에 따라 끊임없이 변화하는데, '누리꾼'은 사라진 말이 아니라 인터넷이라는 새로운 문물이 발명되면서 새로 생겨난 말이다.

11 〈보기〉에서 선비가 말한 '여름'은 과거에 '열매'를 부르던 말이다. 이를 통해 언어는 시간의 흐름에 따라 변한다는 언어의 역사성을 확인할 수 있다.

12 '눈, 코, 입이 있는 머리의 앞면'이라는 의미를 '얼굴'이라는 말소리로 표현하기로 처음 결정했을 때에는 '얼굴'이라는 의미와 말소리가 자의적으로 결합한 것이다. 하지만 '얼굴'이라는 의미와 말소리가 사회적 약속으로 굳어졌기 때문에 언어의 사회성을 고려하여 이를 개인이 임의로 다른 말로 바꾸어서는 안 된다.

13 〈보기〉에서 '고마워!'라는 의미를 나타내는 말소리가 언어마다 다른 것을 통해 언어의 내용과 형식의 관계가 필연적이지 않다는 언어의 자의성을 확인할 수 있다.

14 언어의 역사성은 시간의 흐름에 따라 쓰이던 말이 쓰이지 않게 되어 사라지거나, 의미나 발소리가 변하거나, 없던 말이 생기는 등 언어가 끊임없이 변화하는 것을 의미한다.

15 국어사전에 실린 단어는 사회 구성원들이 실제 언어생활에서 많이 쓰는 말들을 그렇게 사용하기로 약속한 뒤 사전에 올린 것이므로 언어의 사회성과 관련 있다.

16 '차르릉'이라는 말은 유민이가 자의적으로 만들어서 사용한 말일 뿐 사회적으로 약속되고 통용된 말이 아니기 때문에 유민이가 '차르릉'이라고 말했을 때 가족을 제외한 다른 사람들이 이해하지 못했다. 이는 언어의 사회성과 관련 있다.

1 ②   1-1 ⑤   2 ②   2-1 ③   3 ④   3-1 언어의 사회성, 언어의 역사성   4 ②   4-1 (가) 언어의 창조성 (나) 언어의 역사성

1   언어의 창조성은 인간이 이미 알고 있는 언어를 바탕으로 새로운 말이나 문장을 무한히 만들 수 있는 것을 말한다. 언어의 의미와 말소리의 관계는 필연적이지 않기 때문에 새말을 만들 때 이를 고려할 필요는 없다.

1-1   '사탕나무'처럼 이미 알고 있는 단어를 바탕으로 상황에 따라 새로운 단어를 만들어 내는 것은 언어의 창조성과 관련 있다.

2   언어는 그 언어를 사용하는 사람들 사이의 사회적 약속이기 때문에 개인이 임의로 바꾸어 쓸 수 없으며, 그 약속을 지키지 않으면 의사소통에 어려움을 겪을 수 있다.

2-1   말소리와 의미의 결합이 사회적으로 약속된 후에는 개인이 이를 마음대로 바꿀 수 없다. 제시된 상황에서는 이러한 언어의 사회성을 고려하지 않고 개인이 임의로 '집'이라는 단어를 연예인 이름으로 바꾸어 불러 의사소통에 문제가 발생했다.

3   (나)에서 '슈박'이 '수박'으로, '복셩화'가 '복숭아'로 그 말소리가 변한 것은 언어가 시간의 흐름에 따라 끊임없이 변화한다는 언어의 역사성과 관련 있다.

3-1   사람들이 '칠판' 대신에 '모모'라는 말을 표준어로 인정한다는 새로운 약속을 맺은 것은 언어의 사회성과 관련 있으며, '칠판'이 '모모'로 변한 것은 시간의 흐름에 따라 언어가 변화한다는 점을 보여 주므로 언어의 역사성과 관련 있다.

4   ㉠은 언어가 사용자들 사이의 약속임을 보여 주므로 언어의 사회성과 관련 있고, ㉡은 언어의 의미와 말소리 사이에 필연적인 관계가 없음을 나타내므로 언어의 자의성과 관련 있다.

4-1   (가)는 원래 알고 있는 단어들을 활용하여 무수히 많은 문장을 만들어 낼 수 있다는 것이므로 언어의 창조성과 관련 있다. (나)는 '영감'이라는 단어의 의미가 시간의 흐름에 따라 변한 예이므로 언어의 역사성과 관련 있다.

01 ①   02 언어의 창조성   03 ⑤   04 언어의 창조성   05 ⑤
06 ③   07 ㉢   08 다른 사람들과 의사소통하는 데 문제가 발생할 거야   09 ②   10 언어의 역사성   11 ⑤   12 언어의 역사성   13 ③   14 ①

01   〈보기〉의 '참마김밥'과 '치치김밥'은 이미 알고 있는 '참치', '마요네즈', '김치', '치즈', '김밥'이라는 단어를 바탕으로 새로 만든 단어이다. 이처럼 인간은 이미 알고 있는 단어를 바탕으로 새로운 단어나 문장을 무수히 만들 수 있으므로 김밥뿐만 아니라 다른 음식에도 새로운 이름을 만들어 붙일 수 있다.

02   '별'과 '달'이라는 동일한 단어를 활용하여 학생들이 서로 다른 문장을 만들어 낼 수 있는 것은 언어의 창조성과 관련 있다.

03   '토마토'라는 단어를 바탕으로 다양한 문장을 만들어 내고 있으므로 언어의 창조성과 관련된 특징을 확인할 수 있다.

04   어린아이가 배운 단어를 활용하여 새로운 문장을 말할 수 있는 것은 언어의 창조성과 관련 있다.

05   〈보기〉는 언어의 사회성에 대한 설명이다. '짜장면'이 복수 표준어로 인정되었다는 것은 사람들 사이의 사회적 약속이 새롭게 맺어진 것이므로 '짜장면'으로 부른다고 하여 문제가 생기지는 않는다.

06   제시된 대화에서는 동생이 사회적 약속을 어기고 '아이스크림'을 '뿌뿌'라고 바꾸어 불러서 누나가 동생이 말하려는 바를 명확하게 이해하지 못했다. 언어는 사회적 약속이므로 이 약속을 어기면 의사소통에 어려움을 겪게 된다는 것은 언어의 사회성과 관련 있다.

07   사람들이 특정한 의미를 특정한 말소리로 부르자고 약속한 뒤에는 개인이 그 약속을 마음대로 바꿀 수 없으며, 임의로 바꾸면 의사소통이 어려워진다. 따라서 '올림픽'을 '반짝픽'이라고 바꿔 부르는 것은 언어의 사회성을 고려하지 않은 예이다.

08   제시된 대화에서 민석이는 언어가 사회적 약속이라는 점을 이해하지 못하고 있다. 언어는 그 언어를 사용하는 사람들 사이에 굳어진 약속이기 때문에 그 약속을 개인이

임의로 어기거나 변경하면 의사소통에 문제가 생기게 된다.

09 조선 시대의 선비는 '어리다'를 '어리석다'의 의미로 썼지만, 주희는 '나이가 적다'의 의미로 받아들였으므로 선비와 주희는 '어리구나'의 의미를 서로 다르게 이해하고 있다.

10 과거에는 '무우'가 표준어였으나 현재는 '무'가 표준어이므로 언어가 시간의 흐름에 따라 끊임없이 변화한다는 언어의 역사성과 관련 있다.

11 '짜장면'을 표준어로 인정하는 사회적인 약속을 새로 맺은 것은 언어의 사회성과 관련 있다. 언어의 의미와 말소리의 관계가 자의적인 것은 '짜장면'이 표준어가 된 것과 직접적인 관련이 없다.

12 표준어가 아니었던 '짜장면'이 현실 발음을 고려하여 표준어로 인정된 것은 시간의 흐름에 따라 언어가 변화하는 모습을 보여 주므로 언어의 역사성과 관련 있다.

13 '맵시가꿈이', '멋지기', '멋도우미' 등은 '스타일리스트'라는 외래어를 대체하기 위해 누리꾼이 제안한 말로, 시간의 흐름에 따라 변화한 단어들이 아니므로 언어의 역사성과는 관련이 없다.

14 (가)에서 '딸기'라는 의미를 표현하는 각 나라의 말소리가 다른 것은 언어의 의미와 말소리 사이에 필연성이 없다는 언어의 자의성과 관련 있다. (나)는 시간의 흐름에 따라 언어가 변화한다는 언어의 역사성과 관련된 설명이다.

01 ③ **02** (1) 언어의 자의성 (2) 언어의 의미와 말소리의 관계가 필연적이지 않다. **03** ⑤ **04** ④ **05** 새로운 단어나 문장을 끊임없이 만들어 낼 수 있는 언어의 창조성 때문이다. **06** ② **07** ④ **08** 다른 사람들과 의사소통하는 데 문제가 발생한다. **09** ③ **10** ⓐ, ⓓ **11** ⑤ **12** ① **13** (1) 어리석다 (2) 나이가 적다 **14** (가) 언어의 사회성 (나) 언어의 역사성 **15** ④

01 언어는 그 언어를 사용하는 사람들이 사회적으로 맺은 약속이기 때문에 개인이 마음대로 바꿀 수 없지만, 시간의 흐름에 따라 변할 수도 있고 변화를 반영하여 새로운 사회적 약속을 맺을 수도 있다.

02 '개'를 나타내는 말소리는 [시엥], [훈트] 등 각 언어마다 다르다. 이는 언어의 의미와 말소리 사이에 필연성이 없다는 언어의 자의성과 관련 있다.

03 남학생의 설명을 듣고 여학생이 정답을 맞힐 수 있는 이유는 '발로 밟은 자리에 남은 모양'을 '발자국', '바다에 이는 물결'을 '파도'라고 말하기로 한 사회적 약속을 지키고 있기 때문이다.

04 ㉡과 ㉣은 새로운 사물이나 개념이 생겨나면서 그것을 부르는 새로운 말이 생겨난 예이다. ㉠은 같은 대상을 나타내는 말소리가 변한 예이고, ㉢은 과거에 쓰이던 말이 현재는 쓰이지 않는 예이다.

05 '무지개', '꿈', '하늘'이라는 동일한 단어를 활용하여 〈보기〉처럼 다양한 문장을 만들 수 있는 것과 관련 있는 언어의 본질은 언어의 창조성이다.

06 〈보기〉는 언어의 자의성에 대한 설명이다. 인간이 이미 알고 있는 단어를 바탕으로 새로운 문장을 무한히 만들어 낼 수 있는 것은 언어의 창조성과 관련 있다.

07 성호가 '수박'을 '수박'이라고 부르기로 한 사회적 약속을 어기고 마음대로 '몽미'라고 불렀기 때문에 가게 주인과의 의사소통에 문제가 생겼다.

08 언어는 사회적 약속이므로 개인이 함부로 바꾸어 쓸 수 없는데, 정현이는 '학교'라는 단어를 마음대로 '필통'이라고 바꾸어 불러 엄마와의 의사소통에 문제가 발생했다.

09 ㉠은 말소리가 변한 예이고, ㉣은 말의 의미가 변한 예이다. ㉡은 더 이상 쓰이지 않아서 사라진 말의 예이고, ㉢

과 ⓗ은 새로운 사물이나 개념을 표현하기 위해 새로 만든 말의 예이다.

10 ⓐ와 ⓓ처럼 이미 알고 있는 단어나 문장을 활용하여 새로운 표현을 만들어 내는 것은 언어의 창조성과 관련 있다. 예전에 쓰이던 말이 시간의 흐름에 따라 쓰이지 않게 된 것(ⓑ)은 언어의 역사성, 같은 의미를 부르는 말소리가 언어별로 다른 것(ⓒ)은 언어의 자의성을 뒷받침하는 예이다.

11 '나비'의 의미와 [나비]라는 말소리 사이에는 필연적 연관성이 없으므로 반드시 '나비'여야 하는 것은 아니지만, 한국어를 사용하는 사람들끼리는 '나비'라고 부르기로 약속했으므로 임의로 다르게 부른다면 의사소통에 문제가 생길 수 있다.

12 '쫄순이'는 재료로 들어간 음식들에서 한 글자씩 따와서 새로 만든 이름으로, 언어의 창조성을 보여 주는 예이다.

오답 풀이

② 2번 메뉴의 이름을 '군튀레'라고 정하더라도 시간이 흐름에 따라 사람들이 다른 이름으로 바꾸어 부를 수도 있다.

③ [쫄순이]라는 말소리와 '쫄순이'라는 메뉴의 의미 사이에는 필연적인 연관 관계가 존재하지 않는다.

④ 여러 사람이 각자 2번 메뉴의 이름을 만든다면 '군튀레', '만튀카', '카레퐁뒤' 등 서로 다른 이름을 만들 수 있다. 이는 언어의 창조성과 관련 있다.

⑤ '쫄순이'는 사회 구성원들이 합의하여 표준으로 정한 것이 아니기 때문에 메뉴판의 설명을 보지 않고는 '쫄순이'가 무엇을 의미하는지 알기 어렵다.

13 세종 대왕이 한글을 창제한 조선 시대에는 '어리다'가 '생각이 모자라거나 경험이 적거나 수준이 낮다.'라는 의미로 쓰였으나, 오늘날에는 주로 '나이가 적다'라는 의미로 쓰인다.

14 (가)는 언어는 사회적 약속이기 때문에 개인이 특정 단어를 함부로 바꾸어 부를 수 없다는 내용이므로 언어의 사회성과 관련 있다. (나)에는 표준어가 '무우'에서 '무'로 변했음이 나타나 있으므로 시간의 흐름에 따라 언어가 끊임없이 변화한다는 언어의 역사성과 관련 있다.

15 '침대'를 '사진'이라고 마음대로 바꾸어 부르는 것은 언어의 사회성을 어긴 것으로, 이미 알고 있는 언어를 바탕으로 새로운 단어나 문장을 무한히 만들어 낼 수 있는 언어의 창조성과는 관련이 없다.

창의·융합·코딩 전략 **1**   30~31쪽

01 언어의 자의성   **02** 언어의 의미와 말소리 사이에는 필연적인 관계가 없기 때문이다.   **03** 언어는 그 언어를 사용하는 사람들 사이의 사회적 약속이기 때문이다.   **04** 언어의 창조성   **05** 언어의 사회성   **06** ⑤   **07** ㉠ 먹방, 개이득 ㉡ 바다, 호랑이 ㉢ 인공위성

01 '나비'를 의미하는 말소리가 언어별로 다른 것과 '눈'이 동음이의어로 두 가지 이상의 뜻을 가지는 것은 언어의 내용(의미)과 형식(말소리)의 관계가 필연적이지 않다는 언어의 자의성과 관련 있다.

02 〈보기〉에서 '딸기'라는 대상을 한국어로는 '딸기[딸:기]', 중국어로는 '草莓[차오메이]', 영어로는 'strawberry[스트로베리]'라고 서로 다르게 부르는 것은 언어의 의미와 그 의미를 나타내는 말소리의 관계가 필연적이지 않기 때문이다.

03 '사람이 타고 앉아 두 다리의 힘으로 바퀴를 돌려서 가게 된 탈것'이라는 설명을 듣고 '자전거'라는 단어를 떠올릴 수 있는 것은 그 언어를 사용하는 사회 구성원들끼리 그것을 '자전거'라고 부르자는 사회적 약속을 맺었기 때문이다.

04 앵무새는 들은 말만 그대로 따라 할 수 있지만, 인간은 이미 알고 있는 언어를 활용하여 자신의 의견을 표현할 수 있는 다양한 문장을 무한히 만들어 낼 수 있다는 점에서 언어의 창조성을 확인할 수 있다.

05 언어는 해당 언어를 사용하는 사람들끼리의 사회적 약속이므로 '혼밥'이나 '사이다'가 표준어로 인정받아 국어사전에 오르려면 사회 구성원들 사이에서 일정 기간 이상 두루 쓰여 그것이 사회 공동체 안에서 보편적으로 널리 쓰이는 말로 인정받는 과정이 필요하다.

06 ⑤는 언어의 의미와 말소리 사이에 필연성이 없다는 언어의 자의성을 보여 주는 예이고, 나머지는 언어가 시간의 흐름에 따라 끊임없이 변화한다는 언어의 역사성을 보여 주는 예이다.

07 '먹방'과 '개이득'은 사회 구성원이 함께 사용하기로 약속된 표준어가 아니므로 ㉠으로 분류되고, '바다'와 '호랑이'는 사회적 약속으로 굳어진 말이지만 최근에 새로 생긴 말이 아니므로 ㉡으로, '인공위성'은 사회적 약속으로 굳어진 말이지만 새로운 개념이 생겨남에 따라 새로 만들어진 말이므로 ㉢으로 분류된다.

08 ④　**09** ①　**10** ①　**11** ⓐ 어리석다 ⓑ 불쌍하다　**12** 언어의 창조성　**13** (가) 언어의 자의성 (나) 언어의 역사성 (다) 언어의 창조성

08 〈보기〉처럼 어떤 의미를 나타내는 말소리가 언어마다 다르게 나타나는 것은 언어의 자의성과 관련 있다. '영감'이라는 단어의 뜻이 시간의 흐름에 따라 변한 것은 언어의 역사성과 관련 있다.

09 제시된 상황에서는 학생이 '주스'를 '휴대 전화'로 마음대로 바꾸어 불러서 의사소통에 문제가 생겼다. 이는 언어가 그 언어를 사용하는 사람들 사이의 사회적 약속이라는 언어의 사회성과 관련 있다.

10 〈보기〉는 언어의 변화 양상 중에서 새로운 사물이나 개념을 나타내기 위해 새로 생긴 말에 대한 설명이다. ① '꽃'은 예전에는 '곶'이라고 불렸으므로 말소리가 변한 말에 해당한다. 나머지는 모두 새로 생겨난 말이다.

11 〈보기〉에서 순돌이가 공부를 열심히 하지만 천자문도 떼지 못했다는 것으로 보아 ㉠의 의미는 '어리석다'이다. '어여쁘다'는 조선 시대에 '불쌍하다'라는 의미로 쓰이다가 현재는 '예쁘다'라는 뜻으로 쓰인다.

12 남학생이 '놀이터', '동생', '엄마'라는 세 단어를 이용하여 열 가지 이상의 문장을 만들 수 있는 것은 언어의 창조성과 관련 있다.

13 (가)에서 '나비'라는 의미를 표현하는 말소리가 언어별로 다른 것은 언어의 자의성과 관련 있다. (나)에서 조선 시대에 '불휘'라고 부르던 것이 '뿌리'로 그 말소리가 변한 것은 언어의 역사성과 관련 있다. (다)에서 학생들이 '토마토'라는 단어를 활용해서 다양한 문장을 표현할 수 있는 것은 언어의 창조성과 관련 있다.

2주 품사의 종류와 특성

01 갈래 02 사랑, 자유 03 ⑤ 04 (1) 셋째 (2) 넷 05 (1) 명
(2) 대 (3) 수 06 (1) 날아다닌다 (2) 읽고, 지었다 07 (1) 좋아
(2) 시원하다 08 (1) ㉠ (2) ㉡ 09 (1) 형 (2) 동 10 (1) 어떤
(2) 모든 11 (1) 잡았다 (2) 뛰었다 12 (1) 관 (2) 부 13 (1) 에
게, 를 (2) 은, 을, 만, 를 14 (1) 에게 (2) 를 15 (1) 어머 (2) 얘
(3) 그래 16 (1) 독립적 (2) 생략

01 공통된 성질에 따라 묶은 단어의 갈래를 품사라고 하며, 품사는 '형태', '기능', '의미'를 기준으로 분류할 수 있다.

02 '사랑', '자유'는 추상적인 대상의 이름을 나타내는 추상 명사이고, '연필', '철수', '지우개'는 구체적인 대상의 이름을 나타내는 구체 명사이다.

03 '학교'는 사람, 사물 등의 이름을 나타내는 명사이다. '그 것'은 사물의 이름을 대신하여 가리키는 대명사, '우리'와 '저희'는 사람의 이름을 대신하여 가리키는 대명사, '여기' 는 장소의 이름을 대신하여 가리키는 대명사이다.

04 (1) '셋째'는 순서를 나타내는 수사이다.
(2) '넷'은 수량을 나타내는 수사이다.

05 (1) '비'는 사람이나 사물 등의 이름을 나타내는 명사이다.
(2) '우리'는 사람의 이름을 대신하여 가리키는 대명사이 다.
(3) '하나'는 사람이나 사물 등의 수량을 나타내는 수사이 다.

06 (1) '날아다닌다'는 '새'의 움직임을 나타내는 동사이다.
(2) '읽고'와 '지었다'는 '그'의 움직임을 나타내는 동사이 다.

07 (1) '좋아'는 사람이나 사물 등의 상태나 성질을 나타내는 형용사이다.
(2) '시원하다'는 사람이나 사물 등의 상태나 성질을 나타 내는 형용사이다.

08 (1) '먹다', '서다', '울다'는 사람이나 사물 등의 움직임을 나타내는 동사이다.
(2) '얇다', '귀엽다', '노랗다'는 사람이나 사물 등의 상태

나 성질을 나타내는 형용사이다.

09 (1) '넓다'는 사람이나 사물 등의 상태나 성질을 나타내는 형용사이다.
(2) '업었다'는 사람이나 사물 등의 움직임을 나타내는 동 사이다.

10 (1) '어떤'은 체언 '색깔'을 꾸며 주는 관형사이다.
(2) '모든'은 체언 '학생'을 꾸며 주는 관형사이다.

11 (1) 부사 '꼭'이 용언 '잡았다'를 꾸며 준다.
(2) 부사 '폴짝폴짝'이 용언 '뛰었다'를 꾸며 준다.

12 (1) '두'는 체언 '다리'를 꾸며 주는 관형사이다.
(2) '멀리'는 용언 '떠나간다'를 꾸며 주는 부사이다.

13 (1) '에게'와 '를'은 주로 체언 뒤에 붙어서 다른 말과의 문 법적 관계를 나타내는 격 조사이다.
(2) '은'과 '만'은 앞말에 특별한 뜻을 더해 주는 보조사이 고, '을'과 '를'은 주로 체언 뒤에 붙어서 다른 말과의 문법 적 관계를 나타내는 격 조사이다.

14 (1) 어떤 행동이 미치는 대상을 나타내는 격 조사 '에게'가 들어가는 것이 적절하다.
(2) 행동의 간접적인 목적물이나 대상임을 나타내는 격 조사 '를'이 들어가는 것이 적절하다.

15 (1) '어머'는 말하는 이의 놀람이나 반가움 등의 느낌을 나 타내는 감탄사이다.
(2) '얘'는 누군가를 부름을 나타내는 감탄사이다.
(3) '그래'는 대답을 나타내는 감탄사이다.

16 (1) 감탄사는 문장에서 다른 말들에 얽매이지 않고 독립 적으로 쓰이므로 독립언이라고 한다.
(2) 문장에서 감탄사를 생략해도 문장이 성립한다.

01 ㉠ 형태 ㉡ 기능 ㉢ 의미   02 (1) 대 (2) 수 (3) 명   03 ⑤
04 ②   05 ①   06 ③

01 품사는 단어를 공통된 성질에 따라 묶은 것으로, 품사를 분류하는 기준에는 형태, 기능, 의미가 있다. 단어는 문장에서 사용될 때 그 형태가 변하느냐 변하지 않느냐에 따라 가변어와 불변어로 나눌 수 있고, 단어가 문장에서 하는 기능에 따라 체언, 용언, 수식언, 관계언, 독립언으로 나눌 수 있으며, 단어가 나타내는 의미에 따라 명사, 대명사, 수사, 동사, 형용사, 관형사, 부사, 조사, 감탄사로 나눌 수 있다.

02 (1) '나'는 사람의 이름을 대신하여 가리키는 대명사이다.
(2) '하나'는 사람이나 사물 등의 수량을 나타내는 수사이다.
(3) '자전거'는 사람이나 사물 등의 이름을 나타내는 명사이다.

03 '추다'는 동사로 〈보기〉와 같이 현재형, 청유형, 명령형으로 활용할 수 있지만, ⑤의 '가볍다'는 형용사이기 때문에 현재형 어미 '-는-/-ㄴ-', 청유의 뜻을 나타내는 어미 '-자', 명령의 뜻을 나타내는 어미 '-아라/-어라'를 붙여 쓸 수 없다. ①~④는 모두 동사로 〈보기〉와 같이 활용할 수 있다.

04 수식언은 문장에서 다른 단어를 꾸며 주는 역할을 하며 관형사는 체언을, 부사는 주로 용언을 꾸며 준다. ②의 '펑펑'은 부사로, '좋겠다'가 아니라 바로 뒤에 있는 동사 '내리면'을 꾸며 준다.

05 조사는 주로 체언 뒤에 붙어서 그 말과 다른 말의 문법적 관계를 나타내 주는 관계언으로, 단어이지만 홀로 쓰일 수 없어서 다른 말에 붙여 쓴다.

06 밑줄 친 '어'와 '우아'는 꽃을 본 느낌을 나타내는 감탄사이며, ③의 '어머나' 역시 말하는 이의 놀람이나 반가움 등의 느낌을 나타내는 감탄사이다. ①의 '야', ⑤의 '여보세요'는 부름을, ②의 '네', ④의 '아니요'는 대답을 나타내는 감탄사이다.

1 ②   1-1 ①   1-2 의미   2 ①   2-1 ⑤   3 ⑤   3-1 ⑤
3-2 ⑤   4 ③   4-1 ④   4-2 ②

1 품사는 공통된 성질에 따라 묶은 단어의 갈래를 말한다. 우리말의 단어는 형태, 기능, 의미에 따라 나눌 수 있으며, 단어가 문장에서 어떤 기능을 하는지에 따라 체언, 용언, 수식언, 관계언, 독립언으로 나눌 수 있다.

1-1 단어는 문장에서 쓰일 때 형태가 변하느냐, 변하지 않느냐에 따라 형태가 변하는 가변어와 형태가 변하지 않는 불변어로 나눌 수 있다. ①의 '얼굴'은 불변어이며, 나머지는 모두 가변어이다.

1-2 〈보기〉는 단어가 문장에서 나타내는 의미에 따라 품사를 분류한 것이다.

2 명사, 대명사, 수사를 묶어서 체언이라고 한다. 체언은 문장에서 쓰일 때 형태가 변하지 않는 불변어이다.

2-1 ㉠은 명사, ㉡은 수사, ㉢은 대명사로 모두 체언에 속한다. 체언은 문장에서 조사와 결합하여 주어, 목적어, 보어 등으로 주로 쓰인다. ⑤는 독립언에 대한 설명이다.

3 〈보기〉는 용언에 대한 설명이며, ⑤ '우리'는 사람이나 사물, 장소의 이름을 대신하여 나타내는 대명사로 체언에 속한다.

3-1 ⑤의 '먹다'는 사람이나 사물 등의 움직임을 나타내는 동사이고, '깨끗하다'는 사람이나 사물 등의 상태나 성질을 나타내는 형용사로, 모두 형태가 변하는 가변어이다.

오답 풀이
① '첫째'와 '하나'는 모두 수사로 불변어이다.
② '여기'는 대명사, '이순신'은 명사로 둘 다 불변어이다.
③ '옷'은 명사로 불변어이고, '내리다'는 동사로 가변어이다.
④ '구름'은 명사로 불변어이고, '하얗다'는 형용사로 가변어이다.

3-2 〈보기〉의 '다쳤다'는 사람이나 사물 등의 움직임을 나타내는 동사이며, ⑤ '재미있다'는 사람이나 사물 등의 상태나 성질을 나타내는 형용사이다.

4 〈보기〉의 '해라'는 동사로, 기본형 '하다'를 명령형으로 활용한 것이다. ③ '빠르다'는 형용사로, 명령형으로 활용할

수 없다.

4-1 사람이나 사물 등의 상태나 성질을 나타내는 단어는 형용 사이다. ①의 '작다', ②의 '넓어(넓다)', ③의 '좋구나(좋다)', ⑤의 '날쌔게(날쌔다)'는 형용사이다. ④의 '견디면(견디다)', '떠오를(떠오르다)'은 사람이나 사물 등의 움직임을 나타내는 동사이다.

4-2 '행복하다'는 형용사이므로 청유의 뜻을 나타내는 어미 '-자'와 붙여 쓸 수 없다. 따라서 '행복하자'는 '행복하게 지내자' 등으로 고쳐 써야 올바른 표현이 된다.

01 ④ **02** ③ **03** 문장에서 쓰일 때 형태가 변하느냐 변하지 않느냐에 따라 나뉜다. **04** ② **05** ④ **06** ① **07** 이것, 나, 우리, 거기 **08** (1) 과학실 (2) 필통 (3) 수현 **09** ⑤ **10** ㉠ 활용 ㉡ 움직임 **11** ② **12** ⑤ **13** 문장에서 쓰일 때 쓰임에 따라 형태가 다양하게 변한다. **14** ① **15** ㉠ 형용사 ㉡ 명령형 **16** 주하

01 단어의 의미적 특성을 기준으로 우리말 품사를 분류하면 명사, 대명사, 수사, 동사, 형용사, 관형사, 부사, 조사, 감탄사의 9개로 나눌 수 있다.

02 ㉢ '정말'은 주로 용언 앞에 놓여서, 용언을 꾸며 주는 부사이다. 나머지는 모두 사람이나 사물 등의 이름을 나타내는 명사이다.

03 (가)의 단어들은 문장에서 쓰일 때 형태가 변하는 가변어이고, (나)의 단어들은 문장에서 쓰일 때 형태가 변하지

않는 불변어이다.

04 ㉤의 '그'는 대명사로, 사람의 이름을 대신하여 가리키는 단어이다.

05 명사, 대명사, 수사를 묶어서 체언이라고 하며, 체언은 문장에서 격 조사와 결합하여 주어, 목적어, 보어로 주로 쓰인다.

06 ㉡~㉤은 구체적인 대상의 이름을 나타내는 구체 명사이고, ㉠은 눈에 보이지 않는 추상적인 대상의 이름을 나타내는 추상 명사이다.

07 '이것'은 '장미'라는 사물의 이름을 대신하여 가리키는 대명사, '나'와 '우리'는 각각 사람의 이름인 '연수', '연수와 현진'을 대신하여 가리키는 대명사, '거기'는 '꽃길'이라는 장소의 이름을 대신하여 가리키는 대명사이다.

08 '거기'는 '과학실'을, '이것'은 '필통'을, '나'는 '수현'을 대신하여 나타내는 대명사이다.

09 ①의 '셋', ③의 '다섯', ④의 '일'과 '이'는 수량을 나타내는 수사이고, ②의 '첫째'는 순서를 나타내는 수사이다. ⑤에는 수사가 쓰이지 않았다.

10 동사와 형용사가 문장에서 쓰일 때 쓰임에 따라 형태가 변하는 것을 활용이라고 한다. 형용사는 사람이나 사물의 상태나 성질을 나타내는 역할을 하고, 동사는 사람이나 사물의 움직임을 나타내는 역할을 한다.

11 밑줄 친 '먹는다'는 사람이나 사물 등의 움직임을 나타내는 동사로 용언에 속한다. 용언은 주로 서술어의 자리에 쓰이며, 문장에서 주체의 움직임이나 상태, 성질 등을 설명하는 역할을 한다.

12 〈보기〉의 '읽다'는 동사로 현재형, 청유형, 명령형으로 활용할 수 있지만 형용사는 현재형, 청유형, 명령형으로 활용할 수 없다. ⑤의 '깨끗하다'는 사람이나 사물 등의 상태나 성질을 나타내는 형용사로 〈보기〉처럼 활용할 수 없다. 나머지는 모두 사람이나 사물 등의 움직임을 나타내는 동사이다.

> **자료실**
>
> **용언의 활용**
>   용언이 문장에서 쓰일 때 형태가 변하는 것을 '활용'이라고 하며, 이때 형태가 변하지 않는 부분을 '어간', 형태가 변하는 부분을 '어미'라 한다.

어간	어미	형태
	-다	먹다
	-어서	먹어서
먹-	-고	먹고
	-는	먹는
	-지	먹지

13 〈보기〉에서 동사 '먹다'는 '먹고', '먹었다'로 활용하고, 형용사 '높다'는 '높고', '높은'으로 활용하고 있다. 이처럼 용언인 동사와 형용사는 문장에서 쓰일 때 형태가 변하는 특징이 있다.

14 ①의 '둥근(둥글다)'은 사람이나 사물 등의 상태나 성질을 나타내는 형용사이며, 나머지는 모두 사람이나 사물 등의 움직임을 나타내는 동사이다.

15 '착하다'와 '건강하다'는 사람이나 사물 등의 상태나 성질을 나타내는 형용사로, 동사와 달리 청유형과 명령형으로 활용할 수 없다. 따라서 각각 '착하게 지내자.', '건강하게 지내세요.' 등으로 고쳐 써야 한다.

16 '멈추다'는 사람이나 사물 등의 상태나 성질을 나타내는 형용사가 아니라 사람이나 사물 등의 움직임을 나타내는 동사이다.

1 ④ **1-1** ③ **1-2** 가수, 좋아하니 **2** ④ **2-1** 가, 을, 는 **2-2** ③ **3** ④ **3-1** ⑤ **4** ② **4-1** ⑤ **4-2** ⓐ 관형사 ⓑ 대명사

1 〈보기〉는 수식언 중 부사에 대한 설명이다. '쌩쌩'은 부사로, 뒤에 오는 용언 '지나간다'를 꾸며 준다.

1-1 ③의 '하얀'은 기본형이 '하얗다'로, 사람이나 사물의 상태나 성질을 나타내며 문장에서 쓰일 때 형태가 변하는 형용사이다. ①의 '새', ②의 '헌', ④의 '온', ⑤의 '한'은 체언 앞에 놓여서 체언을 꾸며 주는 관형사이다.

1-2 '어떤'은 관형사로 체언인 '가수'를 꾸며 주고, '가장'은 부사로 용언인 '좋아하니'를 꾸며 준다.

2 조사는 주로 체언에 붙어서 문법적 관계를 나타내 주므로 관계언이라고 한다. 조사는 문장에서 형태가 변하지 않지만 '이다'만 예외적으로 형태가 변한다.

2-1 〈보기〉의 '가'와 '을'은 체언 뒤에 붙어서 그 말과 다른 말의 관계를 나타내는 격 조사이고, '는'은 강조의 뜻을 나타내는 보조사이다.

2-2 ③에는 체언 뒤에 붙어서 다른 말과의 관계를 나타내는 격 조사 '가'와 '에'만 쓰였다. ①의 '만'은 다른 것으로부터 제한하여 어느 것을 한정함을 나타내고, ②의 '도'는 이미 어떤 것이 포함되고 그 위에 더함의 뜻을 나타낸다. ④의 '마저'는 이미 어떤 것이 포함되고 그 위에 더함의 뜻을 나타내는데, 하나 남은 마지막임을 뜻한다. ⑤의 '는'은 강조의 뜻을 나타내는 보조사이다.

3 독립언은 문장에서 독립적으로 쓰이고 그 형태가 변하지 않는다. 말하는 사람의 느낌, 부름, 대답 등을 나타내는 감탄사가 독립언에 속한다. ㄹ은 부사에 대한 설명이다.

3-1 〈보기〉의 밑줄 친 말들은 모두 감탄사로, 다른 말들에 얽매이지 않고 독립적으로 쓰이므로 생략해도 문장이 성립한다.

4 '모두'는 둘 이상의 품사로 쓰일 수 있는 단어이다. ㉠은 조사와 결합하여 문장에서 '떠났다'라는 동작의 주체 역할을 하는 명사이며, ㉡은 뒤에 오는 동사인 '쏟았다'를 꾸며 주는 부사이다.

4-1 ㉢ '크구나(크다)'는 사람이나 사물 등의 상태나 성질을 나타내는 형용사이다.

4-2 '그'는 대명사로도 쓰이고 관형사로도 쓰인다. ⓐ의 '그'는 조사가 붙을 수 없고 뒤에 오는 체언 '사람'을 꾸며 주고 있으므로 관형사이다. ⓑ의 '그'는 조사 '를'과 결합하여 문장에서 목적어 역할을 하는 대명사이다.

3일 필수 체크 전략 2   50~53쪽

01 ④   02 ④   03 ⑤   04 ②   05 ⑤   06 ①   07 (1) 가, 를 (2) 조사   08 ⑤   09 ③   10 ④   11 ①   12 ⑤   13 ㉠은 수사로 문장에서 목적어 역할을 하고, ㉡은 관형사로 뒤에 오는 '마리'를 꾸며 주는 역할을 한다.   14 ⑤   15 ①   16 ④

01 관형사, 수사를 묶어서 수식언이라고 하며, 관형사는 체언을, 부사는 주로 용언을 꾸며 주는 역할을 한다. 홀로 쓰일 수 없고 반드시 다른 말에 붙어 쓰이는 단어는 관계언인 조사이다.

02 ④의 '새로운'은 형용사 '새롭다'의 활용형으로 관형사가 아니다. ①의 '아무'는 '말'을 꾸며 주는 관형사, ②의 '모든'은 '준비'를 꾸며 주는 관형사, ③의 '이'는 '책'을 꾸며 주는 관형사, ⑤의 '어떤'은 '영화'를 꾸며 주는 관형사이다.

03 ①의 '같이'는 '가'를 꾸며 주는 부사, ②의 '깡충깡충'은 '뛰어간다'를 꾸며 주는 부사, ③의 '무척'은 '좋구나'를 꾸며 주는 부사, ④의 '꼭'은 '이길 거야'를 꾸며 주는 부사이다. 하지만 ⑤의 '새'는 체언인 '신발'을 꾸며 주는 관형사이다.

04 문장에서 다른 단어를 꾸며 주는 수식언에는 관형사와 부사가 있다. ㉠ '저'는 뒤에 오는 '새'를 꾸며 주는 관형사, ㉢ '정말'은 뒤에 오는 '날쌔게'를 꾸며 주는 부사이다. ㉡은 조사, ㉣은 형용사, ㉤은 동사이다.

05 부사는 수식언으로, 수식언은 문장에서 쓰일 때 형태가 변하지 않는 불변어이다.

06 '이다'는 다른 조사들과 달리 문장에서 쓰일 때 형태가 변하지만, 다른 조사들과 마찬가지로 홀로 쓸 수 없으며 반드시 체언 뒤에 붙어 쓰인다.

07 (가)와 (나)는 같은 단어로 이루어진 문장이지만 체언 뒤의 조사 '가'와 '를'의 위치가 바뀌면서 문장의 의미가 달라졌다. (가)에서는 '가'가 붙은 '개미'가 '물었다'라는 동작의 주체가 되며, '를'이 붙은 '사자'가 '물었다'라는 동작의 대상이 된다. 반면 (나)에서는 '가'가 붙은 '사자'가 동작의 주체가 되며, '를'이 붙은 '개미'가 동작의 대상이 된다. '가'와 '를'은 체언 뒤에 붙어서 그 말과 다른 말들의 문법적 관계를 나타내는 격 조사이다.

08 ㉠~㉣은 앞말에 특별한 뜻을 더해 주는 보조사이고, ㉤은 체언 뒤에 붙어서 다른 말과의 문법적 관계를 나타내 주는 격 조사이다.

09 다른 것으로부터 제한하여 어느 것을 한정함을 나타내는 보조사는 '만'으로, ③은 준서 혼자만 물을 마셨다는 뜻이 된다.

10 〈보기〉는 감탄사에 대한 설명이며, ④의 '우아'는 느낌을 나타내는 감탄사이다.

오답 풀이
① '헌'은 뒤에 오는 체언 '책'을 꾸며 주는 관형사이다.
② '진짜로'는 뒤에 오는 용언 '좋아해'를 꾸며 주는 부사이다.
③ '을'은 주로 체언 뒤에 붙어서 다른 말과의 문법적 관계를 나타내거나 특별한 뜻을 더해 주는 조사이다.
⑤ '바로'는 '그거야'를 꾸며 주는 부사이다.

11 ㉡~㉤은 말하는 이의 느낌, 부름, 대답 등을 나타내는 감탄사이며, ㉠은 명사('주현')와 조사('아')가 결합한 형태로 감탄사가 아니다.

12 ⑤의 '아'는 부름의 의미가 아니라, 말하는 이의 놀람이나 반가움 등의 느낌을 나타낸다.

13 ㉠은 뒤에 조사가 붙어 있으므로 수사이며, 조사 '를'과 결합하여 문장에서 목적어 역할을 한다. ㉡은 조사가 붙을 수 없고 뒤에 체언이 오므로 관형사이며, 문장에서 체언을 꾸며 주는 역할을 한다.

14 ①의 '그'는 대명사, '둘'은 수사, ②의 '깨끗하네(깨끗하다)'는 형용사, '깨끗이'는 부사, ③의 '이민수'는 명사, '우아'는 감탄사, ④의 '열'은 수사, '한'은 관형사이다. ⑤의 '조차'와 '이라면'은 모두 조사이다.

15 '파란'은 사람이나 사물 등의 상태나 성질을 나타내는 형용사이고, '앉았다'는 사람이나 사물 등의 움직임을 나타내는 동사로 둘 다 가변어이다. '이다'는 단어들 간의 문법적 관계를 나타내는 조사이지만 다른 조사와 다르게 '-이구나', '-이니'처럼 문장에서 사용될 때 형태가 변한다.

16 '여보게'는 누군가를 부르는 말로 감탄사에 해당한다.

01 ③   02 ⑤   03 저기, 공원, 선생님, 넷, 산책   04 ④   05 ⑤
06 ⑤   07 ④   08 (1) 문장에서 다른 단어를 꾸며 준다. (2) ⓐ 는 체언을 꾸며 주는 관형사이고, ⓑ는 용언을 꾸며 주는 부사이 다.   09 ③   10 ㉠ 주어 역할을 한다.(동작이나 상태의 주체임 을 나타낸다.) ㉡ 뒤에 오는 체언을 꾸며 주는 역할을 한다.(뒤에 오는 체언인 '일'을 꾸며 주는 역할을 한다.)   11 ⑤   12 ④
13 ④   14 야호, 어, 그래   15 ㉠ 감탄사 ㉡ 조사   16 ②
17 ②   18 ④   19 허름한 오두막집

01 (가)는 체언, (나)는 용언, (다)는 수식언, (라)는 관계언, (마)는 독립언으로, 이는 단어가 문장에서 어떤 기능을 하 느냐에 따라 분류한 것이다.

02 〈보기〉에서 형태가 변하는 단어는 '찾아서', '기쁘다'이 고, 다른 말을 꾸며 주는 단어는 '옛', '아주'이다. 사람이 나 사물의 이름을 나타내는 단어는 '민수', '사진'이다.

03 명사, 대명사, 수사를 묶어서 체언이라고 한다. '공원', '선 생님', '산책'은 사람이나 사물 등의 이름을 나타내는 명 사, '저기'는 사람이나 사물, 장소의 이름을 대신하여 나 타내는 대명사, '넷'은 사람이나 사물 등의 수량이나 순서 를 나타내는 수사이다.

04 ㉠ '그'는 큰 나라에서 온 거만한 '사신'을, ㉡ '저것'은 불 가사리가 새겨진 크고 화려한 '굴뚝'을, ㉢ '여기'는 '연못 가'를 가리킨다. 따라서 ㉠~㉢은 모두 사람이나 사물, 장 소의 이름을 대신하여 나타내는 대명사이다.

05 '건강하시지(건강하다)'는 사람이나 사물의 상태나 성질을 나타내는 형용사로, 부사 '여전히'의 꾸밈을 받고 있다. 형용사는 문장에서 쓰일 때 형태가 변하는 가변어이며, 동사와 달리 명령형이나 청유형으로 활용할 수 없다.

06 ㉠, ㉡은 사람이나 사물 등의 상태나 성질을 나타내는 형 용사이고, ㉢, ㉣은 사람이나 사물 등의 움직임을 나타내 는 동사이다. 형용사와 동사는 용언으로, 문장에서 쓰일 때 쓰임에 따라 형태가 다양하게 변하는 활용을 한다.

07 용언인 동사와 형용사는 문장에서 쓰일 때 형태가 변하는 가변어이다. ④의 '반듯이'는 부사로, 문장에서 쓰일 때 형태가 변하지 않는 불변어이다.

08 ⓐ와 ⓑ는 문장에서 다른 단어를 꾸며 주는 수식언이다.

ⓐ는 체언 '사진'을 꾸며 주는 관형사이고, ⓑ는 용언 '걸 어서'를 꾸며 주는 부사이다.

09 ③의 '모두'는 체언 중 명사로, 격 조사 '가'와 결합하여 문장 에서 주어 역할을 하고 있다. ①의 '저', ②의 '한', ⑤의 '이' 는 뒤에 오는 체언을 꾸며 주는 관형사이고, ④의 '전부' 는 용언인 '주었다'를 꾸며 주는 부사이다.

10 ㉠은 사람이나 사물, 장소의 이름을 대신하여 나타내는 대명사로, 조사 '가'와 결합하여 문장에서 주어 역할을 한 다. ㉡은 관형사로 뒤에 오는 체언 '일'을 꾸며 주는 역할 을 한다.

11 ①의 '그'는 관형사, ②의 '아직'은 부사, '한'은 관형사, ③ 의 '함께', '열심히'는 부사, ④의 '깨끗이'는 부사로 문장 에서 다른 단어를 꾸며 주는 수식언이다. ⑤의 '예쁘게'는 형용사이다.

12 ⓐ~ⓔ는 모두 조사로, 문장에서 홀로 쓰일 수 없고 다른 말에 붙어 쓰인다.

13 부사는 용언(동사, 형용사) 외에 다른 부사나 관형사, 문 장 전체를 꾸며 주기도 한다. ④의 '과연'은 문장 전체를 꾸며 주는 부사이다. ①의 '매우'는 부사 '높이'를, ②의 '너무'는 관형사 '헌'을, ③의 '가장'은 동사 '좋아하니'를, ⑤의 '몹시'는 형용사 '아름다워서'를 꾸며 준다.

14 〈보기〉는 감탄사에 대한 설명이며, 제시된 대화에 사용된 감탄사는 '야호', '어', '그래'이다.

15 ㉠은 감탄사로 문장 안에서 독립적으로 쓰이며, 누군가 를 부름을 나타낸다. ㉡은 조사로 주로 체언 뒤에 붙어서 그 말과 다른 말의 문법적 관계를 나타낸다.

16 '약한'은 동사가 아니라 사람이나 사물 등의 상태나 성질 을 나타내는 형용사이다.

17 ㉡ '드는(들다)'은 동사로, 명령형이나 청유형으로 활용이 가능하다.

18 ㉣ '자신'은 '그 사람의 몸 또는 바로 그 사람을 이르는 말' 인 명사이다.

19 '그곳'과 '여기'는 앞에 나온, 가믄장 아기가 발견한 '허름 한 오두막집'을 의미한다.

01 ㉠ 기능 ㉡ 불변어 ㉢ 수식언 02 두, 옛 03 ㉠ 준우 ㉡ 공원 ㉢ 인라인스케이트 ㉠~㉢의 품사 대명사 04 ② 05 ⑤ 06 ⑤ 07 (1) 이, 을 (2) 체언 뒤에 붙어서 다른 말과의 문법적 관계를 나타낸다.

01 품사는 형태, 기능, 의미에 따라 분류할 수 있으므로 ㉠에는 '기능'이 들어가야 한다. ㉡에는 형태가 변하지 않는 '불변어', ㉢에는 관형사와 수사를 묶어 부르는 '수식언'이 들어가야 한다.

02 관형사는 문장에서 다른 단어를 꾸며 주는 역할을 하는 수식언이다. '두'는 뒤에 오는 체언 '명'을 꾸며 주는 관형사이고, '옛'은 뒤에 오는 체언 '추억'을 꾸며 주는 관형사이다.

03 ㉠ '너'는 '준우', ㉡ '거기'는 '공원', ㉢ '그거'는 '인라인스케이트'를 대신하여 가리키는 대명사이다. 이처럼 사람이나 사물, 장소의 이름을 대신하여 나타내는 단어를 대명사라고 한다.

04 '우리'는 사람의 이름을 대신하여 가리키는 대명사이다.

05 '날다', '읽다', '웃다'는 사람이나 사물 등의 움직임을 나타내는 동사이고, '푸르다', '맑다', '맛있다'는 사람이나 사물 등의 상태나 성질을 나타내는 형용사이다. 동사와 형용사를 묶어서 용언이라고 하며, 주로 서술어의 자리에 쓰여 주체의 움직임, 상태, 성질 등을 설명하는 역할을 한다.

06 ⑤의 '모두'는 용언인 '기부했다'를 꾸며 주는 부사이다. ①, ②의 '모두'는 뒤에 오는 용언을 꾸며 주는 부사이고, ③, ④의 '모두'는 뒤에 조사가 붙었으므로 명사이다.

07 체언 뒤에 어떤 조사가 쓰이는지에 따라 문장의 의미가 달라지는데, 이는 조사가 문장에 쓰인 단어들 간의 관계를 나타내기 때문이다. '이'와 '을'이 어디에 붙는지에 따라 업은 사람과 업힌 사람이 바뀌어 ㄱ, ㄴ의 의미가 달라진다.

08 (1) 관형사 (2) 부사 (3) 다른 단어를 꾸며 준다. 09 이었다 10 ② 11 ㉠ 조사 ㉡ 부사 12 ㉠ 우아 ㉡ 멋지게, 추네 ㉢ 추네 13 (1) 소식 (2) 너 (3) 둘 (4) 몰랐어 (5) 힘들었겠네 (6) 무슨 (7) 갑자기 (8) 가 (9) 아

08 '새'는 체언인 '자전거'를 꾸며 주는 관형사이고, '쌩쌩'은 용언인 '지나간다'를 꾸며 주는 부사이다. 관형사와 부사를 묶어서 수식언이라고 하며, 문장에서 다른 단어를 꾸며 주는 역할을 한다.

09 다른 말에 붙어 그 말과 다른 말의 문법적 관계를 나타내는 단어는 조사이다. 제시된 문장에 사용된 조사는 '에서', '이', '에', '도', '이었다'가 있고, 그중에서 '이었다(이다)'는 다른 조사들과 달리 문장에서 쓰일 때 형태가 변한다.

10 <보기>에서 '읽는다', '읽니', '읽자' 등의 기본형은 '읽다'이므로 용언의 기본형은 용언이 활용할 때 변하지 않는 부분에 '-다'를 붙인 형태임을 알 수 있다. '잡혔다'는 '잡히어', '잡히니' 등으로 활용하므로 기본형은 '잡히다'이다.

11 ㉠은 체언 뒤에 붙어서 다른 말과의 문법적 관계를 나타내 주는 조사이며, ㉡은 뒤에 오는 용언 '먹었다'를 꾸며 주는 부사이다.

12 '우아'는 놀라움이나 반가움 등의 느낌을 나타내는 감탄사이다. 문장에서 쓰일 때 형태가 변하는 것은 '멋지게'와 '추네'이고, 이 중에서 명령형으로 활용할 수 있는 것은 동사인 '추네'이다.

13 '너'는 사람이나 사물, 장소 등의 이름을 대신하여 나타내는 대명사, '소식'은 사람이나 사물 등의 이름을 나타내는 명사, '가'는 주로 체언 뒤에 붙어서 다른 말과의 문법적 관계를 나타내는 조사, '갑자기'는 용언을 꾸며 주는 부사, '아'는 말하는 이의 놀람, 반가움 등의 느낌을 나타내는 감탄사, '몰랐어'는 사람이나 사물 등의 움직임을 나타내는 동사, '둘'은 사람이나 사물 등의 수량이나 순서를 나타내는 수사, '힘들었겠네'는 사람이나 사물 등의 상태나 성질을 나타내는 형용사, '무슨'은 체언을 꾸며 주는 관형사이다.

3주 어휘의 체계와 양상

01 ③ '학교(學校)'는 한자를 바탕으로 만들어진 한자어이고, 나머지는 고유어이다.

02 ⑤ '하늘'은 우리말에 본디부터 있던 말이나 이것에 기초하여 새로 만들어진 고유어이다.

03 '피아노'와 '스마트폰'은 다른 나라에서 들어온 말 가운데 우리말처럼 쓰이는 외래어이고, '주머니'와 '파랗다'는 고유어이다.

04 (1) 방언은 한 언어에서 사용 지역이나 사회 계층에 따라 분화된 말이다.
(2) 모든 사람과 원활하게 의사소통할 수 있으며 공식적인 상황에 사용하기에 적절한 것은 표준어이다.

05 지역 방언을 사용하면 표준어로 나타내기 힘든 정서와 느낌을 표현할 수 있다.

06 (1) 사회 방언은 세대나 직업, 성별 등 사회적 요인에 따라 다르게 쓰이는 말이다.
(2) 사회 방언은 같은 집단에 속하지 않는 사람들에게는 이질감을 줄 수 있다.

07 ④ '정구지'는 표준어인 '부추'의 지역 방언이다. ① '숏'은 방송 분야에서, ② '변론'과 ⑤ '재정 증인'은 법률 분야에서, ③ '바이탈'은 의학 분야에서 사용하는 전문어이다.

08 '대'는 청과물 상인들이 사용하는 은어로, 숫자 '2'를 의미한다.

09 ① '깜놀', ② '생파', ③ '평안', ⑤ '춘부장'은 세대에 따라 사용하는 말이 다른 경우이고, ④ '누나'는 성별에 따라 사용하는 말이 다른 경우이다.

10 '틈 – 사이', '잡다 – 쥐다', '얇다 – 가늘다'는 말소리는 다르지만 의미가 서로 비슷한 유의 관계에 있는 단어들이다.

11 (1) '낮'과 의미가 서로 반대되는 단어는 '밤'이다.
(2) '덥다'와 의미가 서로 반대되는 단어는 '춥다'이다.

12 '문학'은 의미상 '시', '소설', '수필'을 모두 포함하는 상의어이다.

13 (1) 다의어는 두 가지 이상의 뜻이 있는 단어이다.
(2) 동음이의어는 소리는 같으나 의미가 다른 단어이다.

14 (1) '보고(보다)'는 '보다'의 중심적 의미인 '눈으로 대상의 존재나 형태적 특징을 알다.'라는 뜻으로 쓰였다.
(2) '보는(보다)'은 '보다'의 주변적 의미인 '눈으로 대상을 즐기거나 감상하다.'라는 뜻으로 쓰였다.

15 ⓐ의 '쓰기(쓰다)'는 '혀로 느끼는 맛이 한약이나 소태, 씀바귀의 맛과 같다.'라는 의미이고, ⓑ의 '쓰기(쓰다)'는 '붓, 펜, 연필과 같이 선을 그을 수 있는 도구로 종이 등에 획을 그어서 일정한 글자의 모양이 이루어지게 하다.'라는 의미이므로 두 단어는 동음이의 관계에 있다.

01 ⑤ 02 (1) 한 (2) 외 (3) 외 (4) 한 03 ① 04 은어
05 ④ 06 (1) 동 (2) 다

01 ⑤의 '눈'은 우리말에 본디부터 있던 말이나 이것에 기초
하여 새로 만들어진 고유어이다. ①의 '피자', ③의 '피아
노'는 외래어, ②의 '안경', ④의 '책상'은 한자어이다.

02 (1) '학술적 편의를 위하여, 동식물 따위에 붙이는 이름'을
의미하는 '학명(學名)'은 한자어이다.
(2) '회전 날개를 기관으로 돌려서 생기는 양력과 추진력
으로 나는 항공기'를 의미하는 '헬리콥터(helicopter)'는
외래어이다.
(3) '가운데가 잘록한 타원형의 몸통에 네 줄을 매어 활로
문질러서 소리를 내는 서양 현악기'를 의미하는 '바이올
린(violin)'은 외래어이다.
(4) '어떤 일이 일어나기 전에 암시적으로 또는 본능적으
로 미리 느낌.'을 의미하는 '예감(豫感)'은 한자어이다.

03 방송이나 기자 회견과 같은 공식적인 상황에서는 모든 사
람과 원활한 의사소통이 가능한 표준어가 주로 쓰이고,
지역 방언은 사적인 대화를 나누는 비공식적인 상황에서
주로 쓰인다.

04 '먹주, 대, 삼패'는 상인들만 사용하는 은어로, 각각 숫자
'1, 2, 3'을 의미한다.

05 '막다'는 '어떤 일이나 행동을 못하게 하다.'라는 의미이고,
'방어하다'는 '상대편의 공격을 막다.'라는 의미이다. 따라
서 두 단어는 의미가 서로 비슷한 유의 관계에 있다.
오답 풀이
① '과일'은 과일의 한 종류인 '사과'를 포함하는 상의어이
고, '사과'는 '과일'에 포함되는 하의어이므로 두 단어는
상하 관계이다.
② '이따금'은 '얼마쯤씩 있다가 가끔'이라는 뜻이고, '가
끔'은 '시간적·공간적 간격이 얼마쯤씩 있게'라는 뜻이므
로 두 단어는 유의 관계이다.
③ '맞다'는 '문제에 대한 답이 틀리지 아니하다.'라는 뜻
이고, '틀리다'는 '셈이나 사실 따위가 그르게 되거나 어긋
나다.'라는 뜻이므로 두 단어는 반의 관계이다.
⑤ '빠르다'는 '어떤 동작을 하는 데 걸리는 시간이 짧다.'
라는 뜻이고, '느리다'는 '어떤 동작을 하는 데 걸리는 시

간이 길다.'라는 뜻이므로 두 단어는 반의 관계이다.

06 (1) ㉠의 '다리'는 '사람이나 동물의 몸통 아래 붙어 있는
신체의 부분'을 의미하고, ㉡의 '다리'는 '물을 건너거나
또는 한편의 높은 곳에서 다른 편의 높은 곳으로 건너다
닐 수 있도록 만든 시설물'을 의미하므로 두 단어는 동음
이의 관계에 있다.
(2) ㉠의 '손'은 '손'의 중심적 의미로 '사람의 팔목 끝에 달
린 부분'을 의미하며, ㉡의 '손'은 '손'의 주변적 의미로 '일
을 하는 사람, 즉 일손'을 의미하므로 '손'은 다의어이다.

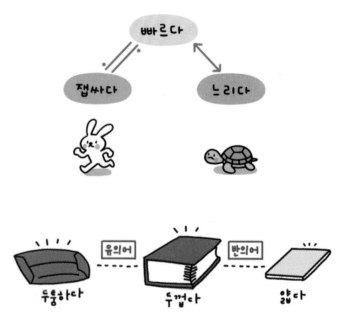

1 ③　1-1 ②　1-2 ⑤　2 ④　2-1 ②　3 ①　3-1 ③　4 ②
4-1 ②　4-2 다른 사람들이 알아듣지 못하도록 하기 위해서

1 '거울', '주머니', '지우개'는 고유어, '시계', '안경', '책상'은 한자어, '에어컨', '볼펜', '컴퓨터'는 외래어이다.

1-1 '교실(敎室)'은 고유어가 아니라 한자를 바탕으로 만들어진 한자어이다.

1-2 ①~④는 우리말에 본디부터 있던 말이나 이것에 기초하여 새로 만들어진 고유어이고, ⑤는 다른 나라에서 들어온 말 가운데 우리말처럼 쓰이는 외래어이다.

2 외국 문화와의 접촉을 통해 새로운 개념이나 사물이 지속적으로 들어오면서 외래어의 수도 점점 늘어나고 있다.

2-1 한자어 '연세(年歲)'는 고유어 '나이'와 의미가 유사하지만, 높임의 의미를 지니고 있다. 이처럼 한자어는 고유어보다 높임의 의미를 지니는 경우가 있다.

3 '부추'는 지역에 따라 '정구지', '졸', '세우리' 등으로 다양하게 불린다. 이처럼 한 언어에서 지역에 따라 달라져서 형성된 각 지방의 말을 지역 방언이라고 한다.

3-1 (나)는 공식적인 기자 회견을 하는 상황이므로 표준어를 사용했지만, (가)는 같은 지역 방언을 쓰는 친구와 사적인 대화를 나누는 상황이므로 상대방이 친근감을 느낄 수 있도록 지역 방언을 사용하고 있다.

4 사회 방언은 세대나 직업, 성별 등의 사회적 요인에 따라 다르게 쓰이는 말로, 같은 집단에 속하는 사람들끼리 대화를 나눌 때 많이 사용한다. 외국 문물과의 접촉을 통해 만들어지는 것은 외래어이다.

4-1 '럽처'와 '엔세이드'는 의학 분야에서 전문적인 개념을 표현하고 정확하게 의사소통하기 위해 사용하는 말이다. ② '옥수깨이'는 '옥수수'의 충청도 지역 방언이다.

오답 풀이
'바이탈', '오퍼러빌리티'는 의학 분야, '불고지죄'는 법률 분야, '클로즈업'은 촬영 현장에서 사용하는 전문어이다.

4-2 밑줄 친 말들은 은어로, 특정 집단에서 내부의 비밀을 유지하기 위해 그 집단의 구성원들만 알아들을 수 있도록 사용하는 말이다.

01 ⑤　02 ⑤　03 ④　04 ④　05 아르바이트, 티셔츠, 햄버거　06 ②　07 ②　08 ⑤　09 ④　10 다른 지역의 사람들과 의사소통할 때 문제가 발생할 수 있다.　11 ⑤　12 ⑤　13 ①　14 ⑤　15 ③　16 ③

01 외래어는 다른 나라에서 들어온 말 가운데 우리말처럼 쓰이는 말로, 국어로 인정받고 있다.

02 제시된 단어들은 각각 파란색, 단맛, 동물이나 사람이 뛰는 모습을 생생하게 표현한 고유어이다. 이처럼 고유어는 감각을 생생하게 표현할 수 있는 어휘가 많다는 특징이 있다.

03 (가)의 '하늘'과 '아쉽다'는 우리말에 본디부터 있던 말이나 이것에 기초하여 새로 만들어진 고유어이다. ① '붉다', ② '마음', ③ '구름', ⑤ '꾸벅꾸벅'은 고유어이고, ④ '게시판(揭示板)'은 한자어이다.

04 (다)의 '피자'나 '스파게티'는 다른 나라에서 들어온 말 가운데 우리말처럼 쓰이는 외래어이다. 외래어는 우리 문화에 없던 사물이나 제도가 들어오면서 생기는 경우가 많으며, 우리말로 순화하여 사용하도록 노력해야 한다.

05 〈보기〉의 설명에 해당하는 것은 외래어로, 제시된 단어 중에서 외래어는 '아르바이트', '티셔츠', '햄버거'이다.

06 고유어 '느낌'은 쓰임에 따라 한자어 '감상(鑑賞)', '감정(感情)', '예감(豫感)' 등으로 대신할 수 있다. ㉠은 '주로 예술 작품을 이해하여 즐기고 평가함.'을 의미하는 '감상(鑑賞)'과 바꾸어 쓸 수 있고, ㉡은 '어떤 일이 일어나기 전에 암시적으로 또는 본능적으로 미리 느낌.'을 의미하는 '예감(豫感)'으로 바꾸어 쓸 수 있다.

07 한자어는 고유어에 비해 뜻이 구체적으로 분화되어 있는 경우가 많다. 밑줄 친 한자어 '심정', '의향', '호감'은 모두 고유어 '마음'으로 바꾸어 쓸 수 있다.

08 준서는 (가)에서는 어머니와 통화하며 친근감을 드러내기 위해 지역 방언을 사용했고, (나)에서는 전국의 시청자를 대상으로 방송하는 공식적인 상황임을 고려하여 모두가 쉽게 알아들을 수 있도록 표준어를 사용했다.

09 '누룽지'는 지역에 상관없이 모든 사람과 원활하게 소통할 수 있도록 정한 표준어이다.

10 지역 방언은 지역에 따라 다르게 쓰이는 말이기 때문에 해당 지역 방언을 모르는 사람과 대화할 때 사용하면 의사소통이 원활하게 이루어지지 않을 수 있다.

11 제시된 시에서는 사투리를 사용하여 향토적이며 토속적인 분위기를 느끼게 하고 있다.

12 사회 방언은 그 단어를 모르는 사람과 의사소통할 때 소외감을 느끼게 하거나 의사소통에 방해가 될 수 있지만, 같은 집단 내에서는 정확하고 효율적인 의사소통에 도움이 되므로 상황에 따라 적절하게 사용해야 한다.

13 다른 사람들이 알아듣지 못하도록 특정 집단 안에서 사용하는 말은 은어이다. 제시된 대화에서는 도매상인들이 사용하는 은어인 '후리', '야리'가 나타나 있다.

14 은어는 비밀을 유지하며 편하게 의사소통하기 위해 특정 집단 안에서만 사용되는 말이므로 외부에 알려지면 은어로서의 기능을 상실하게 된다.

15 '쥘리엔(julienne)'은 '채소나 고기를 길고 가느다란 성냥개비 모양으로 채 써는 것'을 이르는 요리 분야의 전문어이다. 전문어는 특정 분야에서 전문적인 개념을 표현하거나, 해당 전문 분야의 사람들과 효율적으로 의사소통하기 위해 사용한다. 다른 사람들이 알아듣지 못하도록 하려는 의도로 사용하는 것은 은어이다.

16 '까까'는 어린아이들이 '과자'를 가리키는 말이다. 따라서 '까까'와 '과자'는 나이에 따른 사회 방언의 예이다.

3일 필수 체크 전략 1   76~77쪽

1 ① 1-1 (1) ㉠, ㉣ (2) ㉡, ㉢ 1-2 ③ 2 ④ 2-1 ④
2-2 ④ 3 ③ 3-1 ③ 3-2 동음이의 관계 4 ④ 4-1 ③
4-2 틈, 안

1 '이따금'은 '얼마쯤씩 있다가 가끔'이라는 뜻이고, '가끔'은 '시간적·공간적 간격이 얼마쯤씩 있게'라는 뜻이므로 두 단어는 말소리는 다르지만 의미가 서로 비슷한 유의 관계에 있다.

1-1 ㉠ '식당-음식점', ㉣ '오르다-상승하다'는 의미가 서로 비슷하고, ㉡ '오른쪽-왼쪽', ㉢ '남학생-여학생'은 의미가 서로 반대된다.

1-2 〈보기〉의 '좋다'는 '대상의 성질이나 내용 따위가 보통 이상의 수준이어서 만족할 만하다.'라는 의미이므로 이와 반대되는 단어는 '좋지 아니하다.'라는 의미를 지닌 '나쁘다'이다.

2 ⓓ와 ⓔ는 ⓑ에 포함되는 하의어로, 서로 짝을 이루어 반대되는 관계가 아니다.

2-1 ① '농구', ② '야구', ③ '축구', ⑤ '씨름'은 '일정한 규칙과 방법에 따라 신체의 기량이나 기술을 겨루는 일'을 의미하는 '운동'의 하의어이지만, ④ '명상'은 '조용히 눈을 감고 생각함.'을 의미하므로 운동의 하의어에 해당하지 않는다.

2-2 ④의 '잔치'는 '기쁜 일이 있을 때에 음식을 차려 놓고 여러 사람이 모여 즐기는 일'을 의미하는 고유어이고 '파티'는 '친목을 도모하거나 무엇을 기념하기 위한 잔치나 모임'을 의미하는 외래어로, 두 단어는 서로 의미가 비슷하다.

3 동음이의어는 소리는 같지만 의미가 다른 단어로, 의미 사이에 서로 연관성이 없어서 사전에 각각 다른 단어로 실린다.

3-1 '가다'는 두 가지 이상의 의미가 있는 다의어이다. 엄마가 말한 '가셨어'는 아빠가 집에 있다가 서울로 갔다는 뜻이므로 '한 곳에서 다른 곳으로 장소를 이동하다.'라는 의미이다.

3-2 ⓐ는 '배나무의 열매', ⓑ는 '사람이나 동물의 몸에서 위장, 창자, 콩팥 따위의 내장이 들어 있는 곳으로 가슴과

엉덩이 사이의 부위'를 의미하므로 두 단어는 소리는 같
으나 의미가 다른 동음이의 관계이다.

4 '생파(생일 파티)', '생선(생일 선물)'은 청소년층이 많이 사
용하는 줄임 말이므로 이를 잘 모르는 할아버지와 대화할
때 사용하면 의사소통에 어려움을 겪을 수 있다.

4-1 지역 방언과 표준어는 서로를 보완해 주는 관계에 있으므
로 상황에 맞게 적절하게 사용해야 한다.

4-2 유의 관계에 있는 단어라 하더라도 의미에 미묘한 차이가
있으므로 상황에 어울리는 적절한 말을 사용해야 한다.
왼쪽에는 '어떤 행동을 할 만한 기회'를 의미하는 '틈'이,
오른쪽에는 '어떤 물체나 공간의 둘러싸인 가에서 가운데
로 향한 쪽'을 의미하는 '안'이 적절하다.

01 ③　**02** ②　**03** ④　**04** ②　**05** 느린　**06** (1) 쓰다 (2) 신
다 (3) 입다　**07** ①　**08** '연기자'는 의미상 '연예인'에 포함되는
하의어이기 때문이다.('연예인'은 의미상 '연기자'를 포함하는 상
의어이기 때문이다.)　**09** (1) 의미상 한 단어가 다른 단어를 포
함하는 상의어 (2) 고양이, 개, 사자, 기린　**10** ①　**11** ②
12 ㉠ ⑤ ㉡ ① **13** ④　**14** ③　**15** (1) 어떤 일을 하는 데 드
는 힘이나 노력, 기술 (2) 다른 곳에서 찾아온 사람 (3) 동음이의
관계　**16** ③　**17** ④

01 ⓑ에서 '손으로 움키고 놓지 않다.'를 뜻하는 '잡다'와 '어
떤 물건을 손바닥에 들게 하거나 손가락 사이에 낀 채로
손가락을 오므려 힘 있게 잡다.'를 뜻하는 '쥐다'는 유의
관계이고, ⓓ에서 '시간적·공간적 간격이 얼마쯤씩 있게'
를 뜻하는 '가끔'과 '얼마쯤씩 있다가 가끔'을 뜻하는 '이
따금' 역시 유의 관계이다.

오답 풀이
ⓐ, ⓒ, ⓔ는 의미가 서로 대립되는 반의 관계, ⓕ는 의미
상 한 단어가 다른 단어를 포함하거나 포함되는 상하 관
계이다.

02 ⓒ '덥다-춥다'는 의미가 서로 반대되는 반의 관계에 있
다. ②에서 '낮'은 '해가 뜰 때부터 질 때까지의 동안'을 의
미하고, '밤'은 '해가 져서 어두워진 때부터 다음 날 해가
떠서 밝아지기 전까지의 동안'을 의미하므로 두 단어 역시
반의 관계에 있다.

오답 풀이
①, ④, ⑤는 의미가 서로 비슷한 유의 관계, ③은 '과일'이
'사과'를 포함하고 '사과'가 '과일'에 포함되는 상하 관계
이다.

03 '꽃'은 의미상 꽃의 한 종류인 '해바라기'를 포함하는 상의
어이고, '해바라기'는 의미상 '꽃'에 포함되는 하의어이다.

04 유의어라 하더라도 의미에 미묘한 차이가 있으므로 단어
가 사용되는 상황을 고려하여 적절한 단어를 선택해야 한
다. (1)에는 '이빨', (2)에는 '가는', (3)에는 '다음'이 들어가
는 것이 적절하다.

05 제시된 문장의 의미를 고려할 때 빈칸에는 '어떤 동작을
하는 데 걸리는 시간이 길다.'라는 뜻의 '느린'이 들어가는
것이 적절하다.

06 '벗다'는 두 가지 이상의 뜻을 지닌 다의어이기 때문에 그
뜻에 따라 대응하는 반의어가 달라진다. 각 문장에서 '벗
다'가 어떤 뜻으로 쓰였는지 고려할 때 (1)에는 '쓰다', (2)
에는 '신다', (3)에는 '입다'가 적절하다.

07 〈보기〉에서 '오르다'는 '몸 따위에 살이 많아지다.'라는 의
미이므로 '살이 올라서 뚱뚱해지다.'를 의미하는 '찌다'와
유의 관계에 있고, '살이 여위다.'를 의미하는 '빠지다'와
반의 관계에 있다.

08 '연기자'는 의미상 '연예인'에 포함되므로, 연기자가 되고 싶
다는 것은 연예인이 되고 싶다는 것을 의미한다. 그러므
로 '연기자'가 되고 싶지만 '연예인'이 장래 희망이 아니라는
표현은 어색하다.

09 제시된 단어에서 '동물'은 의미상 '고양이, 개, 사자, 기린'
을 포함하는 상의어이고, '고양이, 개, 사자, 기린'은 의미
상 '동물'에 포함되는 하의어이다.

10 ①의 '얇다'는 '두께가 두껍지 아니하다.', '두껍다'는 '두께가
보통의 정도보다 크다.'라는 뜻이므로 두 단어는 유의 관
계가 아니라 반의 관계에 있다.

11 '소년'은 '아직 완전히 성숙하지 아니한 어린 사내아이'를

의미하므로, 이를 포함하는 상의어는 '남성으로 태어난 사람'을 의미하는 '남자', 혹은 '생각을 하고 언어를 사용하며, 도구를 만들어 쓰고 사회를 이루어 사는 동물'을 의미하는 '사람' 등이다. '소년'과 의미가 비슷한 단어는 '남자아이를 친근하게 이르는 말'인 '사내아이', 의미가 반대되는 단어는 '아직 완전히 성숙하지 아니한 어린 여자아이'를 의미하는 '소녀'가 적절하다.

12 ㉠의 '보다'는 엄마가 누리에게 시험을 잘 치렀는지 묻는 것이므로 '자신의 실력이 나타나도록 치르다.'라는 뜻으로 쓰였다. ㉡의 '보다'는 누리가 단순히 시험지의 형태와 내용을 눈으로 확인했다고 대답하는 것이므로 '눈으로 대상의 존재나 형태적 특징을 알다.'라는 뜻으로 쓰였다.

13 '보다'는 두 가지 이상의 의미가 있는 다의어이다. 주변적 의미(②~⑤)들은 하나의 중심적 의미(①)에서 나온 것이므로 ①~⑤의 의미들은 서로 연관성이 있다.

14 왼쪽의 '다리'는 '물을 건너거나 또는 한편의 높은 곳에서 다른 편의 높은 곳으로 건너다닐 수 있도록 만든 시설물'을, 오른쪽의 '다리'는 '사람이나 동물의 몸통 아래 붙어 있는 신체의 부분'을 의미하므로 두 단어는 소리는 같지만 의미의 연관성이 없는 동음이의어이다.

15 ⓐ는 손01-④의 의미이고, ⓑ는 손02-①의 의미이다. 따라서 ⓐ와 ⓑ는 소리는 같지만 의미가 다른 동음이의 관계에 있다.

16 ③의 첫 번째 '머리'는 '사람이나 동물의 목 위의 부분'이라는 뜻으로 '머리'의 중심적 의미에 해당하고, 두 번째 '머리'는 '머리에 난 털'이라는 뜻으로 '머리'의 주변적 의미에 해당한다. 따라서 ③의 '머리'는 하나의 중심적 의미에서 나온 여러 개의 주변적 의미를 지닌 다의어이다. 나머지는 모두 중심적 의미가 서로 다른 동음이의 관계에 있는 단어들이다.

오답 풀이

① 첫 번째 '쓰고(쓰다)'는 '붓, 펜, 연필과 같이 선을 그을 수 있는 도구로 종이 따위에 획을 그어서 일정한 글자의 모양이 이루어지게 하다.'라는 뜻이고, 두 번째 '쓰고(쓰다)'는 '모자 따위를 머리에 얹어 덮다.'라는 뜻이므로 두 단어는 동음이의 관계에 있다.

② 첫 번째 '발'은 '실이나 국수 따위의 가늘고 긴 물체의 가락'을, 두 번째 '발'은 '가늘고 긴 대를 줄로 엮거나, 줄

따위를 여러 개 나란히 늘어뜨려 만든 물건'을 의미하므로 두 단어는 동음이의 관계에 있다.

④ 첫 번째 '풀'은 '초본 식물을 통틀어 이르는 말'을, 두 번째 '풀'은 '세찬 기세나 활발한 기운'을 의미하므로 두 단어는 동음이의 관계에 있다.

⑤ 첫 번째 '김'은 '액체가 열을 받아서 기체로 변한 것'을, 두 번째 '김'은 '바닷속 바위에 이끼처럼 붙어 자라는 홍조류 보라털과의 조류'를 의미하므로 두 단어는 동음이의 관계에 있다.

17 할아버지와 대화할 때 청소년층이 주로 쓰는 줄임 말을 쓰면 원활한 의사소통에 방해가 될 수 있다.

01 ⑤   02 ⑤   03 참가자가 친근감을 느껴 긴장을 풀도록 하기 위해서이다.   04 ④   05 ⑤   06 손녀가 자신의 세대에서 유행하는 줄임 말을 사용했기 때문이다.   07 ②   08 지역적인 특색을 표현할 수 있다.(향토적인 정서를 표현할 수 있다.)   09 ④   10 ①   11 ②   12 ①   13 ④   14 다의어는 사전에 하나의 단어로 실리지만, 동음이의어는 사전에 각각 다른 단어로 실린다.   15 ⑤   16 '자가용'은 '대중교통'에 포함되는 하의어가 아니기 때문이다.   17 ㉠ ⓔ ㉡ ③   18 ④

01 〈보기〉의 단어 중 '숟가락', '새싹', '달걀'은 고유어, '친구', '공지', '냉수'는 한자어, '홈페이지', '치킨', '버스'는 외래어이다.

02 ⓐ는 고유어, ⓑ는 한자어, ⓒ는 외래어이다. 외래어는 우리말 어휘 체계에 속하며, 외국 문화와의 접촉을 통해 들어와 우리 문화에 없던 사물이나 개념 등을 나타내는 경우가 많아 바꾸어 쓸 고유어를 쉽게 찾기 어렵다.

03 〈보기〉에서 사회자는 전국의 시청자를 대상으로 말할 때에는 표준어를 사용하다가 참가자의 긴장을 풀어 주기 위해 참가자와 동일한 지역 방언을 사용하고 있다.

04 (가)~(라)의 인물들은 모두 사회 방언을 사용하고 있다. 사회 방언은 세대나 직업, 성별 등 사회적 요인에 따라 다르게 쓰이는 말로, 이를 사용하는 집단의 특성을 반영한다.

05 ㉠, ㉡은 청과물 상인들이 집단의 비밀을 유지하기 위해 사용하는 은어이고, ㉢, ㉣은 전문 분야의 일을 효과적으로 수행하기 위해 사용하는 전문어이다. 은어와 전문어는 말의 의미를 모르는 사람에게 소외감을 느끼게 할 수 있으므로 주의해서 사용해야 한다.

06 손녀가 사용한 '생선'과 '문상'은 각각 '생일 선물'과 '문화 상품권'의 줄임 말로, 청소년들이 주로 사용하는 사회 방언이기 때문에 할아버지, 할머니와 의사소통이 원활하게 이루어지지 않고 있다.

07 (나)에서는 할아버지, 할머니와 손녀 세대에서 동일한 단어를 서로 다른 뜻으로 이해하고 있다. (다)에서는 성별에 따라 같은 인물을 '언니'와 '누나'로 다르게 부르고 있다. (라)에서는 의사가 의료 분야의 전문어를 사용하고 있다.

08 〈보기〉에는 같은 의미를 각각 다른 지역 방언으로 표현하여 지역의 특색을 드러내는 인사말이 제시되어 있다. 지역 방언을 활용하면 향토적인 정서를 표현하거나 지역적인 특색을 표현할 수 있다.

09 ④의 '빠르다'와 '느리다'는 의미가 서로 반대되는 반의 관계에 있는 단어들이고, 나머지는 모두 의미가 서로 비슷한 유의 관계의 단어들이다.

10 '사이'는 '어떤 일에 들이는 시간적인 여유나 겨를'을 의미하는 단어로 '어떤 행동을 할 만한 기회'라는 의미를 지닌 '틈'과 유의 관계에 있으며, ①에서는 '틈'을 사용하는 것이 적절하다.

11 ㉠은 '몸 등에 살이 많아지다.'라는 뜻이므로 '살이 여위다.'를 의미하는 '빠지다'가 반의어로 적절하다. ㉡은 '사람이나 동물 따위가 아래에서 위쪽으로 움직여 가다.'라는 뜻이므로 '높은 곳에서 낮은 곳으로 또는 위에서 아래로 가다.'를 의미하는 '내려가다'가 반의어로 적절하다. ㉢은 '탈것에 타다.'라는 뜻이므로 '탈것에서 밖이나 땅으로 옮아가다.'를 의미하는 '내리다'가 반의어로 적절하다.

12 ⓐ '가는(가늘다)'은 '물체의 지름이 보통의 경우에 미치지 못하고 짧다.'라는 뜻이므로 '물체의 지름이 보통의 경우를 넘어 길다.'를 의미하는 '굵다'가 반의어로 적절하다. '두껍다'는 '두께가 보통의 정도보다 크다.'를 의미한다.

13 '배짱이 좋다'에서 '좋다'는 '사람이 체면을 가리지 않거나 염치가 없다.'라는 뜻이므로 이때의 반의어로는 '싫다'가 아니라 '없다'가 적절하다.

14 다의어는 중심적 의미와 중심적 의미에서 확장된 여러 개의 주변적 의미를 가지므로 사전에 하나의 단어로 실린다. 반면에 동음이의어는 중심적 의미가 서로 달라 단어의 의미 사이에 연관성이 없으므로 사전에 각각 다른 단어로 실린다.

15 ⑤의 첫 번째 '배'는 '사람이나 짐 따위를 싣고 물 위로 떠다니도록 나무나 쇠 따위로 만든 물건'을 의미하고, 두 번째 '배'는 '배나무의 열매'를 의미하므로 두 단어는 중심적 의미가 서로 다른 동음이의 관계에 있다. 나머지는 중심적 의미와 여기에서 확장된 주변적 의미가 있는 다의어이다.

16 '대중교통'은 '여러 사람이 이용하는 버스, 지하철 따위의 교통. 또는 그러한 교통수단'을 의미하므로 '자가용'은 '대

중교통'의 하의어가 아니다.

17 ㉠의 '길'은 그를 설득할 '방법'을 의미하고, ㉡의 '길'은 기차를 타고 고향으로 가는 '노정'을 의미한다.

18 ④의 '배'는 운동 경기에서 우승한 팀이나 사람에게 주는 트로피를 의미하는 말이다.

01 (1) 바지, 불고기, 딸기 (2) 모자, 잡채, 우유 (3) 티셔츠, 오렌지, 바게트　**02** 한자어는 고유어에 비해 좀 더 분화된 의미를 지니고 있다.　**03** ②　**04** 해당 전문 분야의 사람들과 효과적으로 의사소통할 수 있다.　**05** 뜻이 비슷한 단어여도 미묘한 의미 차이가 있다.(뜻이 비슷한 단어여도 서로 바꾸어 쓸 수 없는 경우가 있다.)

01 우리말 어휘는 고유어, 한자어, 외래어로 나눌 수 있다. '바지, 불고기, 딸기'는 우리말에 본디부터 있던 말이나 이것에 기초하여 새로 만들어진 고유어이다. '모자, 잡채, 우유'는 한자를 바탕으로 만들어진 한자어이다. '티셔츠, 오렌지, 바게트'는 다른 나라에서 들어온 말 가운데 우리말처럼 쓰이는 외래어이다.

02 고유어 '고치다'는 사용된 상황이나 문맥에 따라 다양한 한자어로 대체할 수 있다. 이는 한자어가 고유어에 비해 좀 더 분화된 의미를 지니고 있음을 보여 준다.

03 (가)에서 은수가 사용한 '허벌나다'와 '뻐치다'는 각각 '굉장하다'와 '피곤하다'라는 뜻의 전라도 지역 방언이다.

04 '심리'와 '변론'은 법정에서 사용하는 전문어이다. 전문어를 사용하면 해당 분야의 사람들과 효과적으로 의사소통

할 수 있어 업무를 효율적으로 수행할 수 있다.

05 '속'과 '안', '얇은(얇다)'과 '가는(가늘다)'처럼 서로 뜻이 비슷한 단어여도 의미에 미묘한 차이가 있어서 서로 바꾸어 쓸 수 없는 경우가 있다. 이처럼 유의 관계에 있는 단어들은 의미가 서로 비슷하지만 완전히 똑같지는 않으므로 함부로 바꾸어 쓰면 어색한 문장이 된다.

06 ④　**07** ⑤　**08** ㉠ 예술 ㉡ 소설　**09** ④　**10** ⑤

06 '옥시기', '옥수깨이', '깡내이' 등은 '옥수수'의 지역 방언이다. 같은 언어라 하더라도 지역적으로 떨어져 오랜 시간이 흐르면 단어의 형태가 달라지는 등 원래의 언어와 다른 차이가 생기는데, 이를 지역 방언이라고 한다.

07 ⑤의 '벗다'는 '누명이나 치욕 따위를 씻다.'라는 의미이므로, 반의어는 '사람이 죄나 누명 따위를 가지거나 입게 되다.'를 의미하는 '쓰다'가 적절하다.

08 ㉠에는 '영화', '문학', '미술' 등을 포함하는 상의어인 '예술'이 들어가는 것이 적절하고, ㉡에는 '문학'에 포함되는 하의어인 '소설'이 들어가는 것이 적절하다.

09 (가)의 '재정 증인'은 '미리 증인으로 호출되거나 소환되지 아니하고 법정에서 선정된 증인'을 의미하는 법률 분야의 전문어이다. (나)의 '대', '삼패'는 청과물 시장 상인들이 숫자를 대신하여 쓰던 말로, 자신들이 하는 말을 다른 손님이나 다른 업종에서 일하는 상인들이 알아듣지 못하게 하기 위한 은어이다. 전문어와 은어는 모두 특정 집단에서 사용되는 말로, 그 말을 잘 모르는 사람에게 사용할 경우 의사소통에 문제가 발생할 수 있다.

10 '발01'과 '발02'는 동음이의어이므로 빈칸에는 '발01'의 의미와 관련이 없는 예문이 들어가야 한다. ①~④의 '발'은 '발01'과 동일한 의미이고, ⑤의 '발'은 '야구 경기에서 홈런을 친 횟수를 세는 단위'를 비유적으로 이르는 말이다.

권말 정리 마무리 전략

신유형·신경향·서술형 전략   92~95쪽

01 ②   02 ③   03 ①   04 ⑤   05 ④   06 ②   07 문장에서 다른 단어를 꾸며 준다.   08 ③   09 문장에서 쓰일 때 형태가 변하지 않는 불변어이며, 다른 말과의 문법적 관계를 나타내거나 특별한 뜻을 더해 주는 조사로 관계언에 해당한다.   10 ⑤   11 ⑤   12 ②   13 ㉠은 달다07-①의 의미로, ㉡은 달다07-②의 의미로 쓰였으므로 ㉠과 ㉡은 다의 관계에 있다.

---

01 현진이와 친구들 모두 같은 대상을 가리키지만 언어에 따라 다른 말소리로 부르는 것은 말소리와 그 의미 사이에 필연적인 관계가 없기 때문이며, 이는 언어의 자의성과 관련 있다.

02 지아는 우리나라에서 '빵'을 [빵]이라고 부르기로 한 사회적으로 약속을 어기고 '쿵쿵'이라고 바꾸어 불러서 의사소통에 문제를 일으키고 있다. 따라서 지아에게 언어의 사회성을 고려하여 개인이 마음대로 단어를 바꾸어 부르면 안 된다는 조언을 하는 것이 적절하다.

03 첫 번째 문단에 제시된 것과 같이 나라마다 같은 대상을 자기들끼리 통하는 말로 다르게 표현하는 것은 언어의 자의성과 관련 있다. 또한 '남자'가 사회적으로 약속된 말을 마음대로 바꿔 부르는 것은 언어의 사회성을 고려하지 않은 행동이다.

04 '복숭아'는 '복성화'에서 '복숑와'가 되었다가 '복숭아'로 그 말소리가 변한 것이므로 '복성화', '복숑와', '복숭아'는 모두 같은 대상을 가리킨다.

05 '연필'은 명사, '그곳'과 '저희'는 대명사, '셋'은 수사로 모두 체언에 속한다. 체언은 문장에서 격 조사와 결합하여 주어, 목적어, 보어 등으로 쓰이며, 문장에서 쓰일 때 형태가 변하지 않는 불변어이다.

06 (가)의 '버불김밥'과 '고불김밥'은 '버섯', '고추장', '불고기', '김밥' 등 원래 있던 말을 활용하여 새로운 말을 만든 것으로, 언어의 창조성을 뒷받침할 수 있는 사례이다.

07 '모든'은 뒤에 오는 체언 '학생'을 꾸며 주는 관형사이고, '천천히'는 뒤에 오는 용언 '걷는다'를 꾸며 주는 부사이다.

평가 기준	
채점 요소	확인 ☑
밑줄 친 단어들이 문장에서 공통적으로 하는 역할을 바르게 서술했다.	

08 문장에서 쓰일 때 형태가 변하는 것을 가변어, 변하지 않는 것을 불변어라고 한다. 가변어에는 사람이나 사물 등의 움직임을 나타내는 동사와 사람이나 사물 등의 상태나 성질을 나타내는 형용사가 있다. 따라서 ㉠에는 불변어인 명사, 대명사, 수사, 관형사, 부사, 조사, 감탄사가 들어갈 수 있고, ㉡에는 형용사, ㉢에는 동사가 들어갈 수 있다.

09 밑줄 친 '가', '에서', '를'은 문장에서 쓰일 때 형태가 변하지 않는 불변어이며, 주로 체언 뒤에 붙어서 다른 말과의 문법적인 관계를 나타내 주는 조사로 관계언에 속한다.

평가 기준	
채점 요소	확인 ☑
밑줄 친 단어들의 품사를 모두 바르게 제시했다.	
밑줄 친 단어들이 불변어, 관계언, 조사인 이유를 적절하게 설명했다.	

10 '피자', '치킨', '샐러드', '인터넷'은 다른 나라에서 들어온 말이지만 우리말처럼 쓰이는 외래어이다. 외래어는 외국 문화와의 접촉을 통해 들어와 우리말 어휘를 보충해 주는 역할을 한다.

11 표준어는 모든 사람과 원활한 의사소통이 가능하게 하므로 주로 공식적인 상황에서 사용하고, 지역 방언은 해당 지역 방언을 모르는 사람과는 의사소통이 원활하게 이루어지지 않으므로 사적인 대화를 나누는 비공식적인 상황에서 주로 사용한다.

12 ②에서 '낮'은 '해가 뜰 때부터 질 때까지의 동안', '밤'은 '해가 져서 어두워진 때부터 다음 날 해가 떠서 밝아지기 전까지의 동안'을 의미하므로 두 단어는 의미가 서로 반대되는 반의 관계에 있다.

13 ㉠은 '꿀이나 설탕의 맛과 같다.'라는 '달다07'의 중심적 의미로, ㉡은 '입맛이 당기도록 맛이 있다.'라는 '달다07'의 주변적 의미로 쓰였다.

평가 기준	
채점 요소	확인 ☑
㉠, ㉡의 의미를 〈보기〉에서 바르게 찾아서 밝혔다.	
㉠, ㉡의 의미 관계를 바르게 설명했다.	
완결된 하나의 문장으로 서술했다.	

정답과 해설

고난도 해결 전략 1회 96~97쪽

01 ① 02 언어의 의미와 말소리의 관계는 필연적이지 않으며, 이러한 언어의 본질을 언어의 자의성이라고 한다. 03 ② 04 언어의 창조성 05 ③ 06 ② 07 언어는 그 언어를 사용하는 사람들 사이의 사회적 약속인데 '그'는 그 약속을 지키지 않고 있으므로 다른 사람들과의 의사소통에 어려움을 겪을 것이다. 08 ⑤

01 어린아이가 배운 적 없는 새로운 문장을 만들어 내는 것은 언어의 창조성과 관련 있는 사례이다. 언어의 역사성은 시간의 흐름에 따라 쓰이던 말이 쓰이지 않게 되어 사라지거나, 의미나 말소리가 변하거나, 없던 말이 생기기도 하는 것을 의미한다.

02 같은 대상을 의미하는 말이 언어마다 다른 것을 통해 언어의 의미와 말소리의 관계가 필연적이지 않다는 언어의 자의성을 알 수 있다.

평가 기준

채점 요소	확인☑
언어의 의미와 말소리의 관계가 필연적이지 않음을 설명했다.	
언어의 자의성과 관련 있음을 서술했다.	

03 일상생활에서 '자장면'을 '짜장면'으로 발음하는 것을 반영하여 '짜장면'을 표준어로 인정하는 사회적 약속을 새로 맺은 것은 언어의 사회성과 관련 있다. 그리고 과거에는 표준어가 아니었던 '짜장면'이 시간이 지남에 따라 표준어로 인정된 것은 언어의 역사성과 관련 있다.

04 ㉠은 이미 알고 있는 기존의 단어를 활용하여 '스타일리스트'를 대신할 우리말 단어를 새로 만든 사례이다. ㉡은 이미 알고 있는 단어를 바탕으로 새로운 문장을 무한히 만들어 낼 수 있다는 설명이다. ㉠과 ㉡처럼 이미 알고 있는 언어를 바탕으로 새로운 단어나 문장을 무한히 만들어 낼 수 있는 것은 언어의 창조성과 관련 있다.

05 '수박'을 꼭 '수박'으로 부를 필요가 없는 이유는 언어의 의미와 그 의미를 나타내는 말소리 사이에 필연적인 관계가 없기 때문이다.

06 ⓐ는 말소리가 변한 예, ⓓ는 의미가 변한 예이다. ⓑ는 어떤 사물이 더 이상 쓰이지 않게 되면서 그것을 표현하던 말도 사라진 예, ⓒ는 새로운 사물이나 개념이 생기면서 그것을 나타내는 말이 새로 생겨난 예이다.

07 언어에 대한 사회적 약속을 지키지 않고 개인이 마음대로 바꾸어 쓰면 다른 사람과의 의사소통에 문제가 생길 수 있다.

평가 기준

채점 요소	확인☑
언어의 사회성과 관련지어 언어가 사회적 약속이라는 내용을 포함했다.	
60자 이내의 한 문장으로 서술했다.	

08 컴퓨터의 '마우스'는 '쥐'를 뜻하는 영어 '마우스(mouse)'에서 뜻이 더해진 것이므로 언어의 역사성과 관련이 있으나, ㉠의 뜻이 ㉡으로 변한 것은 아니다.

01 ⑤   02 ⑤   03 ③   04 ③   05 ㉠은 '개'를 꾸며 주는 관형사이고, ㉡은 문장에서 목적어 역할을 하는 수사이다.   06 ⑤
07 ④   08 명사, 조사, 부사, 동사, 형용사   09 ⑤

01 관형사는 체언 앞에 놓여서 주로 체언을 꾸며 주는 역할을 한다. 주로 체언 뒤에 붙어서 다른 말과의 문법적 관계를 나타내거나 특별한 뜻을 더해 주는 것은 조사이다.

02 ⓔ의 '여기'는 '방 안'이라는 장소를 대신하여 가리키는 대명사이고, ⓐ~ⓓ는 모두 '주머니'라는 사물을 대신하여 가리키는 대명사이다.

03 〈보기〉에 제시된 의미를 더해 주는 조사는 '만'이다. ③에 쓰인 조사 '만'은 집에 간 사람을 민수 한 명으로 한정하는 의미를 더해 준다.

04 ③의 '함께'는 동사인 '갔다'를 꾸며 주는 부사이다.
   오답 풀이
   ① '밖에'는 '그것 말고는', '그것 이외에는' 등의 뜻을 나타내는 조사이다.
   ② '과연'은 문장 전체를 꾸며 주는 부사이다.
   ④ '어떤'은 체언인 '과일'을 꾸며 주는 관형사이다.
   ⑤ '어머나'는 말하는 이의 놀람이나 감탄 등의 느낌을 나타내는 감탄사이다.

05 ㉠은 체언인 '개'를 꾸며 주는 역할을 하고, ㉡은 문장에서 격 조사와 결합하여 목적어 역할을 하고 있다.

   평가 기준

채점 요소	확인 ☑
㉠, ㉡이 문장에서 어떤 기능을 하는지 바르게 설명했다.	
㉠은 관형사, ㉡은 수사임을 포함하여 서술했다.	

06 ⑤의 '만큼'과 '이야(이다)'는 모두 조사이다. ①의 '만세'는 감탄사와 명사, ②의 '연필'은 명사, '저기'는 대명사, ③의 '같이'는 조사와 부사, ④의 '말끔히'는 부사, '눈부시게'는 형용사이다.

07 빈칸에 들어갈 수 있는 품사는 체언(명사, 대명사, 수사)으로, 체언은 문장에서 동작이나 상태의 주체, 동작의 대상, '되다/아니다' 앞에서 문장을 보충하는 역할을 하며 문장에서 사용될 때 형태가 변하지 않는 특성이 있다.

08 '밥'과 '배'는 명사, '을'과 '가'는 조사, '너무'와 '많이'는 부사, '먹어서(먹다)'는 동사, '부르다'는 형용사이다.

09 ⓔ의 '모두'는 명사로 격 조사 '가'와 결합하여 문장에서 동작이나 상태의 주체 역할을 한다.
   오답 풀이
   ① ⓐ '눈'은 구체적인 대상을 나타내는 명사이다.
   ② ⓑ '같이'는 동사인 '갔다'를 꾸며 주는 부사이다.
   ③ ⓒ '웃었다'는 사람이나 사물 등의 움직임을 나타내는 동사이다.
   ④ ⓓ '유정아'는 감탄사가 아니라 명사('유정')와 조사('아')가 결합한 것이다.

01 ⑤　**02** ⑤　**03** ②　**04** (가) 직업 (나) 세대　**05** 사회자는 [A]에서는 전국의 시청자가 모두 알아들을 수 있도록 표준어를 사용했고, [B]에서는 참가자가 친근감을 느껴 긴장을 풀 수 있도록 지역 방언을 사용했다.　**06** ④　**07** ⑤　**08** (가)의 '배'는 각각 중심적 의미가 다른 동음이의 관계이고, (나)의 '머리'는 하나의 중심적 의미에서 나온 주변적 의미들을 지니고 있는 다의 관계이다.

01 〈보기〉의 (가)는 고유어, (나)는 한자어, (다)는 외래어이다. ⑤에 제시된 '그네', '달맞이', '강강술래'는 우리 민족의 고유한 문화와 정서를 잘 표현한 단어로 한자어가 아닌 고유어이므로 (가)에 속한다.

02 고유어는 우리말에 본디부터 있던 말이나 이것에 기초하여 새로 만들어진 말을 의미하므로 새로 만들어진 말도 고유어라 할 수 있다. 지역 방언은 같은 지역 방언을 쓰는 사람들끼리 친근감과 유대감을 느끼게 하고, 사회 방언은 각 집단의 특성을 반영하여 구성원들의 소속감을 높이거나 의사소통이 효율적으로 이루어지게 하므로 상황에 따라 적절하게 사용해야 한다.

03 문학 작품에서 지역 방언을 사용하면 작품의 배경이 되는 지역의 고유한 정서를 잘 담아내어 작품의 내용과 분위기 등을 더욱 섬세하고 풍부하게 표현할 수 있다. 〈보기〉에서는 전라도 지역 방언을 사용하여 붉게 물든 감잎을 바라보는 누이를 향토적으로 표현하고 있다.

04 (가)에서는 청과물 상인들이 사과 가격을 다른 사람들이 알아듣지 못하도록 '대', '삼패' 등의 은어를 사용하고 있고, (나)에서는 손자가 할아버지와 대화하면서 청소년층이 주로 쓰는 줄임 밀인 '피빙', '열공' 등을 사용하고 있다.

05 사회자는 전국의 시청자들을 대상으로 말할 때에는 표준어를 사용하다가 참가자의 긴장을 풀어 주기 위해 참가자와 동일한 지역 방언을 사용했다.

평가 기준	
채점 요소	확인 ☑
[A]에서 사용한 말이 표준어, [B]에서 사용한 말이 지역 방언임을 바르게 설명했다.	
65자 이내의 한 문장으로 서술했다.	

06 〈보기〉의 밑줄 친 말은 의학 분야의 전문어이다. 전문어를 사용하면 필요한 의미를 빠르고 정확하게 전달할 수 있어 해당 분야의 일을 효율적으로 수행할 수 있다.

07 ⑤의 첫 번째 '봤다'는 '자신의 실력이 나타나도록 치르다.'라는 의미이고, 두 번째 '봤다'는 '눈으로 대상을 즐기거나 감상하다.'라는 의미이므로 모두 '보다'의 중심적 의미에서 확장된 주변적 의미에 해당한다. 따라서 ⑤는 동음이의 관계가 아니라 다의 관계이다.

08 (가)의 '배'는 소리는 같지만 각각의 중심적 의미가 다른 여러 개의 단어이고, (나)의 '머리'는 중심적 의미가 같은 하나의 단어이다.

평가 기준	
채점 요소	확인 ☑
'중심적 의미'와 '주변적 의미'를 활용하여 (가), (나)의 밑줄 친 단어들의 의미 관계를 바르게 설명했다.	
주어진 문장 형식에 맞추어 서술했다.	

다양한 추가
자료로 문법 실력을
키워 보자!

문법 실력 충전하기

01 언어의 구성 요소를 고려하여 ㉠, ㉡에 들어갈 알맞은 말을 쓰시오.

> 언어는 내용과 형식으로 이루어져 있다. 단어가 가리키는 (㉠)은/는 언어의 내용이고, 단어의 (㉡)은/는 언어의 형식이다.

02 다음 설명과 관련 있는 언어의 본질을 〈보기〉에서 찾아 쓰시오.

(1) 언어의 의미와 말소리의 관계는 필연적이지 않다. ( )

(2) 인간은 단어 또는 문장을 끊임없이 만들어 낼 수 있다. ( )

(3) 언어는 그 언어를 사용하는 사람들 사이의 사회적 약속이다. ( )

(4) 언어는 시간이 흐르면서 새로 생기기도 하고, 사라지기도 하며, 소리나 의미가 변하기도 한다. ( )

┤ 보기 ├
| 자의성 | 사회성 | 역사성 | 창조성 |

03 다음 사례에 해당하는 언어의 본질을 알맞게 연결하시오.

(1) 과거에 '강'을 가리키던 '가람'이라는 말이 지금은 쓰이지 않는다. ·

· ㉠ 자의성

(2) '수박'이라는 단어를 '수세미'로 마음대로 바꾸어 쓰면 의사소통에 문제가 생긴다. ·

· ㉡ 사회성

(3) '안녕'과 '가세요'라는 말을 배운 어린아이가 '안녕히 가세요.'라는 말을 할 수 있다. ·

· ㉢ 역사성

(4) '딸기'라는 의미를 한국어로는 '딸기[딸ː기]', 영어로는 'strawberry[스트로베리]'로 표현한다. ·

· ㉣ 창조성

04 〈보기〉에서 알 수 있는 언어의 본질로 알맞은 것은?

┤ 보기 ├
　　어떤 말소리와 그 뜻이 반드시 그렇게 연결되어야 한다는 원칙은 없다. 그래서 '은하수', '밀키 웨이(Milky Way)', '갤럭시(galaxy)'처럼 어떤 의미를 나타내는 말소리는 반드시 하나가 아니며, 언어별로 다양하다.

① 자의성　　　　　　② 사회성　　　　　　③ 역사성
④ 창조성　　　　　　⑤ 기호성

05 다음 대화의 빈칸에 들어갈 알맞은 말을 쓰시오.

윤서: 난 오늘부터 '사과'를 '복숭아'라고 부를 거야.
준석: 그러면 다른 사람과 의사소통할 때 문제가 생길 거야. 우리나라에서는 '사과'를 '사과'라고 부르기로 (　　　　　)으로 약속했으니까.

06 다음 사례에 해당하는 언어의 변화 양상을 바르게 연결하시오.

(1) 뫼, 미르　　　　　　　　　　・　　　　　・㉠ 사라진 말

(2) 어리다, 어여쁘다　　　　　　・　　　　　・㉡ 새로 생긴 말

(3) 나모, 복셩화, 슈박　　　　　・　　　　　・㉢ 의미가 변한 말

(4) 인공위성, 내비게이션　　・　　　　　・㉣ 말소리가 변한 말

07 〈보기〉의 사례와 관련 있는 언어의 본질을 쓰시오.

┤ 보기 ├
• '버섯'과 '불고기'를 넣은 김밥에 '버불김밥'이라는 이름을 붙였다.
• '친구'와 '학교'라는 단어를 활용하여 열 가지도 넘는 문장을 만들어 낼 수 있다.

01 다음 빈칸에 들어갈 알맞은 말을 쓰시오.

(1) (　　　　)은/는 공통된 성질에 따라 묶은 단어의 갈래이다.

(2) 단어가 문장에서 쓰일 때 (　　　　)이/가 변하느냐, 변하지 않느냐에 따라 가변어와 불변어로 나뉜다.

(3) 단어가 문장에서 어떤 (　　　　)을/를 하느냐에 따라 체언, 용언, 수식언, 관계언, 독립언으로 나뉜다.

(4) 단어가 문장에서 어떤 (　　　　)을/를 나타내느냐에 따라 명사, 대명사, 수사, 동사, 형용사, 관형사, 부사, 조사, 감탄사로 나뉜다.

02 우리말 품사에 대한 설명을 바르게 연결하시오.

(1) 명사 ・

(2) 대명사 ・

(3) 수사 ・

(4) 동사 ・

(5) 형용사 ・

(6) 관형사 ・

(7) 부사 ・

(8) 조사 ・

(9) 감탄사 ・

・㉠ 사람이나 사물 등의 이름을 나타내는 단어

・㉡ 사람이나 사물 등의 움직임을 나타내는 단어

・㉢ 사람이나 사물 등의 상태나 성질을 나타내는 단어

・㉣ 체언 앞에 놓여서, 체언을 꾸며 주는 단어

・㉤ 주로 용언 앞에 놓여서, 용언을 꾸며 주는 단어

・㉥ 사람이나 사물 등의 수량이나 순서를 나타내는 단어

・㉦ 사람이나 사물, 장소의 이름을 대신하여 나타내는 단어

・㉧ 놀람, 반가움 등의 느낌, 부름이나 대답을 나타내는 단어

・㉨ 주로 체언 뒤에 붙어서 다른 말과의 문법적 관계를 나타내거나 특별한 뜻을 더해 주는 단어

03 다음 단어들의 품사를 쓰시오.

(1) 가다, 먹다   (   )

(2) 나무, 희망   (   )

(3) 넓다, 하얗다   (   )

(4) 꼭, 먼저, 쌩쌩   (   )

(5) 새, 헌, 옛, 모든   (   )

(6) 우리, 그것, 저기   (   )

(7) 어머나, 이봐, 그래   (   )

(8) 하나, 둘, 첫째, 둘째   (   )

(9) 이/가, 께서, 은/는, 도, 조차 (   )

04 다음 밑줄 친 단어 중 용언이 아닌 것은?

① 하늘이 <u>맑다</u>.

② 시냇물이 <u>깨끗하다</u>.

③ 나는 <u>바다</u>를 좋아한다.

④ 나는 푸른 숲을 <u>보았다</u>.

⑤ 점심 도시락을 맛있게 <u>먹었나</u>.

05 다음 빈칸에 들어갈 알맞은 말을 〈보기〉에서 골라 쓰시오.

보기			
네	모든	쌩쌩	이다

(1) (   ), 알겠습니다.

(2) 나는 중학생(   ).

(3) (   ) 준비가 끝났다!

(4) 자동차가 (   ) 달린다.

01 다음 빈칸에 들어갈 알맞은 말을 쓰시오.

(1) (   )은/는 다른 나라에서 들어온 말 가운데 우리말처럼 쓰이는 말이다.

(2) (   )은/는 한자를 바탕으로 만들어진 말로, 고유어를 보완해 주는 역할을 한다.

(3) (   )은/는 우리말에 본디부터 있던 말이나 이것에 기초하여 새로 만들어진 말이다.

02 다음 단어들이 각각 어디에 해당하는지 바르게 연결하시오.

(1) 학교, 책상, 안경   •

(2) 주스, 피아노, 티셔츠   •

(3) 거울, 주머니, 달콤하다 •

• ㉠ 고유어

• ㉡ 한자어

• ㉢ 외래어

03 다음 빈칸에 들어갈 알맞은 말을 〈보기〉에서 찾아 쓰시오.

(1) (   )은/는 특정 집단의 비밀을 유지하기 위해서 사용하는 말이다.

(2) (   )은/는 한 나라에서 공용어로 쓰도록 규범으로 정한 언어이다.

(3) 같은 지역 방언을 사용하는 사람들은 서로 (   )을/를 느낄 수 있다.

(4) (   )은/는 한 언어에서 사용 지역이나 사회 계층에 따라 분화된 말이다.

┤ 보기 ├

방언	표준어	전문어	유행어
은어	한자어	친근감	소외감

04 (가), (나)에서 밑줄 친 사회 방언이 나타나는 이유와 관련된 요인을 〈보기〉에서 찾아 쓰시오.

> 가 손녀: (기쁜 표정으로) 할머니, 저 오늘 학교에서 문상을 받았어요!
>
> 할머니: (깜짝 놀라며) 아이고, 저런. 누가 돌아가셨니?
>
> 나 의사: 오퍼러빌리티(operability) 있습니다.
>
> 간호사: 네, 알겠습니다.

┌ 보기 ┐
| 세대 | 성별 | 직업 | 국적 |

• (가): _____　　　• (나): _____

05 ㉠~㉢을 의미 관계에 따라 바르게 분류하시오.

| ㉠ 맞다 – 틀리다 | ㉡ 가끔 – 이따금 | ㉢ 옷 – 블라우스 |

(1) 유의 관계 (　　　)
(2) 반의 관계 (　　　)
(3) 상하 관계 (　　　)

06 다음 밑줄 친 단어들의 의미 관계를 〈보기〉에서 찾아 쓰시오.
(1) 머리가 아프다. – 머리가 길다. – 머리가 좋다.　　　　　　　(　　　　　)
(2) 배가 아프다. – 바다에 배가 떠 있다. – 나는 사과와 배를 좋아한다.
　　　　　　　　　　　　　　　　　　　　　　　　(　　　　　)

┌ 보기 ┐
| 다의어 | 반의어 | 유의어 | 동음이의어 |

어휘력 키우기

유의어

틈	**명사** 어떤 일을 하다가 ❶ [ㅅ ㄱ] 따위를 다른 데로 돌릴 수 있는 시간적인 여유.
	예 오늘은 숨 돌릴 틈도 없이 바빴다.
사이	**명사** 어떤 일에 들이는 시간적인 여유나 겨를.
	예 그는 편하게 앉아 있을 사이도 없이 바로 뛰어나갔다.

다음	**명사** 이번 차례의 바로 뒤.
	예 이번에는 언니가 했으니 다음은 내 차례야.
나중	**명사** 다른 일을 먼저 한 뒤의 차례.
	예 이 일은 다른 일부터 하고 나중에 하겠습니다.

잡다	**동사** 손으로 움키고 놓지 않다.
	예 어머니는 내 손을 꼭 잡으셨다.
쥐다	**동사** 어떤 물건을 손바닥에 들게 하거나 손가락 사이에 낀 채로 손가락을 오므려 힘 있게 잡다.
	예 아이는 사탕을 꼭 쥐고 있었다.

막다	**동사** 외부의 ❷ [ㄱ ㄱ]이나 침입 따위에 버티어 지키다.
	예 이번 공격만 제대로 막으면 승리할 수 있다.
방어하다	**동사** 상대편의 공격을 막다.
	예 우리 팀은 상대 선수의 공격을 방어하기에만 급급했다.

가끔	**부사** 시간적·공간적 ❸ [ㄱ ㄱ]이 얼마쯤씩 있게.
	예 그 친구와는 가끔 안부 전화 정도를 하는 사이이다.
이따금	**부사** 얼마쯤씩 있다가 가끔.
	예 그는 심심할 때면 이따금 산에 올라가곤 했다.

예쁘다	**형용사** 생긴 모양이 아름다워 눈으로 보기에 좋다.
	예 이사를 하고 내 방을 예쁘게 꾸몄다.
아름답다	**형용사** 보이는 대상이나 음향, 목소리 따위가 균형과 조화를 이루어 눈과 귀에 즐거움과 만족을 줄 만하다.
	예 그곳의 경치는 아름답기로 소문났다.

답 ❶ 생각 ❷ 공격 ❸ 간격

가끔
부사 시간적·공간적 간격이 얼마쯤씩 있게.
예 오늘은 곳에 따라 가끔 비가 오겠습니다.

자주
부사 같은 일을 잇따라 잦게.
예 이곳은 고라니가 자주 출몰하는 장소입니다.

낮
명사 ❹ ㅎ 가 뜰 때부터 질 때까지의 동안.
예 오늘은 늦었으니 내일 낮에 이야기하자.

밤
명사 해가 져서 어두워진 때부터 다음 날 해가 떠서 밝아지기 전까지의 동안.
예 나는 어제 뜬눈으로 밤을 새웠다.

높다
형용사 아래에서 ❺ ㅇ 까지의 길이가 길다.
예 그 도시에는 높은 고층 빌딩들이 즐비했다.

낮다
형용사 아래에서 위까지의 높이가 기준이 되는 대상이나 보통 정도에 미치지 못하는 상태에 있다.
예 책상이 낮고 작아서 불편하다.

쉽다
형용사 하기가 까다롭거나 힘들지 않다.
예 이 책은 어린아이도 이해하기 쉽다.

어렵다
형용사 하기가 까다로워 힘에 겹다.
예 이번 시험은 문제가 너무 어려워서 다들 성적이 떨어졌다.

맞다
동사 ❻ ㅁㅈ 에 대한 답이 틀리지 아니하다.
예 시험이 끝나자마자 답이 맞았는지 바로 채점했다.

틀리다
동사 셈이나 사실 따위가 그르게 되거나 어긋나다.
예 저녁부터 비가 올 것이라는 일기 예보가 결국 틀렸다.

굵다
형용사 물체의 지름이 보통의 경우를 넘어 길다.
예 굵은 빗줄기가 억수같이 쏟아졌다.

가늘다
형용사 물체의 지름이 보통의 경우에 미치지 못하고 짧다.
예 아기가 가늘게 눈을 뜨고 잠에서 깨어났다.

답 ❹해 ❺위 ❻문제

다의어와 동음이의어

보다 (동사)

눈으로 대상의 존재나 [7] ㅎㅌ 적 특징을 알다.
예 횡단보도를 건널 때에는 신호등을 잘 보아야 한다.

눈으로 대상을 즐기거나 감상하다.
예 그의 취미는 연극을 보는 것이다.

일정한 목적 아래 만나다.
예 집에 가기 전에 잠깐 볼 수 있을까?

맡아서 보살피거나 지키다.
예 그녀는 집을 비우는 동안 강아지를 봐 줄 사람을 구하고 있다.

자신의 실력이 나타나도록 치르다.
예 이번 시험은 정말 잘 봐야 해.

머리 (명사)

사람이나 동물의 목 위의 부분. 눈, 코, 입 따위가 있는 얼굴을 포함하며 머리털이 있는 부분을 이른다.
예 그녀는 선생님께 머리를 숙여 공손하게 인사했다.

생각하고 [8] ㅍㄷ 하는 능력.
예 그 선수는 기술이 뛰어난 데다가 머리까지 좋았다.

머리에 난 털.
예 그는 머리를 까맣게 염색했다.

단체의 우두머리.
예 그는 우리 모임의 머리 노릇을 하고 있다.

길 (명사)

사람이나 동물 또는 자동차 따위가 지나갈 수 있게 땅 위에 낸 일정한 너비의 [9] ㄱㄱ .
예 폭우로 길이 끊겼다.

물 위나 공중에서 일정하게 다니는 곳.
예 바다 위의 배가 다니는 길을 해로라고 한다.

걷거나 탈것을 타고 어느 곳으로 가는 노정(路程).
예 고향으로 가는 길은 멀지만 즐거웠다.

시간의 흐름에 따라 개인의 삶이나 사회적·역사적 발전 따위가 전개되는 과정.
예 이번 전시를 통해 인류 문명이 발전해 온 길을 돌아보게 되었다.

답 ⑦형태 ⑧판단 ⑨공간

배¹ 명사	사람이나 동물의 몸에서 위장, 창자, 콩팥 따위의 내장이 들어 있는 곳으로 가슴과 엉덩이 사이의 부위. 예 나는 네가 먹는 것만 봐도 배가 불러.
배² 명사	사람이나 짐 따위를 싣고 ⑩[ㅁ] 위로 떠다니도록 나무나 쇠 따위로 만든 물건. 예 아침에 배를 타고 강을 건넜다.
배³ 명사	배나무의 열매. 예 저녁을 먹은 뒤 달콤한 배를 깎아 먹었다.

손¹ 명사	사람의 팔목 끝에 달린 부분. 손등, 손바닥, 손목으로 나뉘며 그 끝에 다섯 개의 손가락이 있어, 무엇을 만지거나 잡거나 한다. 예 아이는 손을 흔들며 친구에게 작별 인사를 했다.
손² 명사	다른 곳에서 찾아온 사람. 예 할머니는 반가운 손이 왔다고 기뻐하셨다.

다리¹ 명사	사람이나 동물의 몸통 아래 붙어 있는 ⑪[ㅅㅊ]의 부분. 예 운동을 하다가 다리에 쥐가 났다.
다리² 명사	물을 건너거나 또는 한편의 높은 곳에서 다른 편의 높은 곳으로 건너다닐 수 있도록 만든 시설물. 예 육지와 섬을 연결하는 다리가 개통된 뒤 교통이 편리해졌다.

발¹ 명사	1. 사람이나 동물의 다리 맨 끝부분. 예 새로 산 운동화가 발에 꼭 맞았다. 2. 가구 따위의 밑을 받쳐 균형을 잡고 있는, 짧게 도드라진 부분. 예 이 의자는 한쪽 발이 짧다.
발³ 명사	가늘고 긴 대를 줄로 엮거나, 줄 따위를 여러 개 나란히 늘어뜨려 만든 물건. 주로 무엇을 가리는 데 쓴다. 예 여름에는 문에 발을 늘어뜨리고 지낸다.
발⁵ 명사	실이나 ⑫[ㄱㅅ] 따위의 가늘고 긴 물체의 가락. 예 국수의 발이 가늘다.

01 다음 밑줄 친 단어들의 의미 관계를 바르게 연결하시오.

(1) ┌ 축구공을 발로 찼다.
   └ 발로 햇볕을 가렸다.

(2) ┌ 내일 낮에 다시 이야기하자.
   └ 책을 읽느라 밤을 새웠다.

(3) ┌ 내 동생은 인형처럼 예쁘다.
   └ 아름다운 경치를 보니 기분이 좋아.

(4) ┌ 감기에 걸려서 머리가 아프다.
   └ 내 동생은 머리가 좋은 편이다.

• ㉠ 유의어

• ㉡ 반의어

• ㉢ 다의어

• ㉣ 동음이의어

02 다음 단어들 중 의미 관계가 나머지와 <u>다른</u> 것은?

① 가끔 – 자주
② 다음 – 나중
③ 잡다 – 쥐다
④ 가끔 – 이따금
⑤ 막다 – 방어하다

03 다음 문장의 괄호 안에서 알맞은 말을 고르시오.

(1) (나중, 다음) 순서는 사진 촬영입니다.
(2) 너희는 왜 (틈, 사이)만 나면 싸우는 거니?
(3) 시험 문제가 (쉬워서, 어려워서) 만점자가 속출했다.
(4) 손가락이 (가늘어서, 굵어서) 반지가 들어가지 않는다.

04 다음 중 〈보기〉의 밑줄 친 단어들의 의미 관계와 동일한 것은?

┤ 보기 ├

• 오랜만에 굽이 <u>높은</u> 구두를 신었더니 걷기가 힘들다.
• 하늘에 <u>낮게</u> 깔린 먹구름이 금방 비를 퍼부을 것 같다.

① 책방 – 서점   ② 상승 – 하강   ③ 국가 – 나라
④ 과일 – 사과   ⑤ 곱다 – 예쁘다

05 다음 밑줄 친 단어 중에서 〈보기〉의 ㉣의 의미로 쓰인 것은?

┤ 보기 ├

보다 [동사]

㉠ 눈으로 대상의 존재나 형태적 특징을 알다.
㉡ 눈으로 대상을 즐기거나 감상하다.
㉢ 일정한 목적 아래 만나다.
㉣ 맡아서 보살피거나 지키다.
㉤ 자신의 실력이 나타나도록 치르다.

① 새로 산 책에서 처음 <u>보는</u> 단어를 발견했다.
② 수상한 사람을 <u>보면</u> 바로 경찰에 신고해야 한다.
③ 요즘 피곤해서 텔레비전을 <u>보다가</u> 잠이 들곤 한다.
④ 삼촌은 여러 번 맞선을 <u>본</u> 끝에 드디어 결혼하게 되었다.
⑤ 주말에 부모님이 지방에 가시게 되어 혼자서 집을 <u>보게</u> 되었다.

06 다음 밑줄 친 단어가 다의어이면 '다', 동음이의어이면 '동'이라고 쓰시오.

(1) ┌ ㉠ 그는 산속에서 <u>길</u>을 잃고 말았다.
　　└ ㉡ 이 책은 인류 문명이 발전해 온 <u>길</u>을 살펴본다.　　　　(　　　)

(2) ┌ ㉠ 반가운 <u>손</u>이 온다는 연락을 받았다.
　　└ ㉡ 외출 후에는 반드시 <u>손</u>을 씻어야 한다.　　　　(　　　)

고유어

귀띔

명사 상대편이 눈치로 알아차릴 수 있도록 미리 슬그머니 일깨워 줌.

예 그는 곧 좋은 일이 있을 것이라는 귀띔을 받았다.

꽃샘

명사 이른 봄, 꽃이 필 무렵에 갑자기 날씨가 추워짐. 또는 그런 추위.

예 3월 들어서 꽃샘이 두 번이나 지나갔다.

딸기

명사 장미과의 여러해살이풀의 열매.

예 우리 삼촌은 비닐하우스에서 딸기를 재배하신다.

무지개

명사 공중에 떠 있는 물방울이 햇빛을 받아 나타나는, 반원 모양의 일곱 빛깔의 줄.

예 비가 그치고 구름 사이로 무지개가 나타났다.

불고기

명사 쇠고기 따위의 살코기를 저며 양념하여 재었다가 불에 구운 음식. 또는 그 고기.

예 불고기는 외국인들도 좋아하는 우리나라 음식이다.

비빔밥

명사 고기나 나물 따위와 여러 가지 양념을 넣어 비벼 먹는 밥.

예 아버지는 남은 반찬을 모두 비벼서 비빔밥을 만드셨다.

손수레

명사 사람이 직접 손으로 끄는 수레.

예 그는 빈 손수레를 달달거리며 끌고 집으로 갔다.

숟가락

명사 밥이나 국물 따위를 떠먹는 기구. 은·백통·놋쇠 따위로 만들며, 생김새는 우묵하고 길둥근 바닥에 자루가 달려 있다.

예 그는 숟가락으로 밥을 떠서 입안 한가득 넣었다.

아내

명사 혼인하여 남자의 짝이 된 여자.

예 남편은 아내에게 모든 사실을 털어놓았다.

이야기

명사 어떤 사물이나 사실, 현상에 대하여 일정한 줄거리를 가지고 하는 말이나 글.

예 그녀는 내가 하는 이야기를 잘 믿지 않았다.

제자리

명사 본래 있던 자리.

예 사용한 물건을 제자리에 갖다 놓아라.

조용하다

형용사 아무런 소리도 들리지 않고 고요하다.

예 아무도 없는 듯 집이 조용하고 썰렁하다.

주머니

명사 옷의 일정한 곳에 헝겊을 달거나 옷의 한 부분에 헝겊을 덧대어 돈, 소지품 따위를 넣도록 만든 부분.

예 그는 외투 주머니 속에서 지갑을 꺼냈다.

지우개

명사 글씨나 그림 따위를 지우는 물건.

예 동생은 공책에 쓴 글씨를 지우개로 지웠다.

지팡이

> **명사** 걸을 때에 도움을 얻기 위하여 짚는 막대기.

> **예** 우리 할머니는 지팡이를 짚고 겨우 일어서신다.

처음

> **명사** 시간적으로나 순서상으로 맨 앞.

> **예** 처음에는 약했던 빗줄기가 점점 거세졌다.

한자어

게시판[揭 들 게, 示 보일 시, 板 널빤지 판]

> **명사** 여러 사람에게 알릴 내용을 내붙이거나 내걸어 두루 보게 붙이는 판(板).

> **예** 구청 앞 게시판에 공고문을 붙여 두었다.

공원[公 공변될 공, 園 동산 원]

> **명사** 국가나 지방 공공 단체가 공중의 보건·휴양·놀이 따위를 위하여 마련한 정원, 유원지, 동산 등의 사회 시설.

> **예** 날씨가 좋아서 강아지와 공원을 산책하고 왔다.

냉면[冷 찰 냉, 麵 밀가루 면]

> **명사** 차게 해서 먹는 국수. 흔히 메밀국수를 냉국이나 김칫국 따위에 말거나 고추장 양념에 비벼서 먹는데, 예전부터 평양의 물냉면과 함흥의 비빔냉면이 유명하다.

> **예** 그는 냉면을 무척 좋아해서 겨울에도 즐겨 먹는다.

모자[帽 모자 모, 子 아들 자]

> **명사** 머리에 쓰는 물건의 하나. 예의를 차리거나 추위, 더위, 먼지 따위를 막기 위한 것이다.

> **예** 바람이 세게 불어서 쓰고 있던 모자가 날아갔다.

보행자[步 걸음 보, 行 다닐 행, 者 놈 자]

> **명사** 걸어서 길거리를 왕래하는 사람.

> **예** 보행자는 횡단보도를 건널 때 반드시 신호를 확인해야 한다.

사진[寫 베낄 사, 眞 참 진]

명사 물체의 형상을 감광막 위에 나타나도록 찍어 오랫동안 보존할 수 있게 만든 영상.

예 실물보다 사진이 더 멋있게 나왔다.

서점[書 글 서, 店 가게 점]

명사 책을 갖추어 놓고 팔거나 사는 가게.

예 등굣길에 서점에 들러 참고서를 한 권 샀다.

수건[手 손 수, 巾 수건 건]

명사 얼굴이나 몸을 닦기 위하여 만든 천 조각. 주로 면으로 만든다.

예 세수를 마친 동생의 얼굴을 수건으로 닦아 주었다.

안경[眼 눈 안, 鏡 거울 경]

명사 시력이 나쁜 눈을 잘 보이게 하기 위하여나 바람, 먼지, 강한 햇빛 따위를 막기 위하여 눈에 쓰는 물건.

예 나는 초등학교 때부터 안경을 썼다.

연세[年 해 연, 歲 해 세]

명사 '나이'의 높임말.

예 할머니는 연세가 여든이 넘으셨지만 아직도 정정하시다.

잡채[雜 섞일 잡, 菜 나물 채]

명사 여러 가지 채소와 고기붙이를 잘게 썰어 볶은 것에 삶은 당면을 넣고 버무린 음식.

예 우리집에서는 명절날이면 항상 잡채를 만들어 먹는다.

책상[冊 책 책, 床 평상 상]

명사 앉아서 책을 읽거나 글을 쓰거나 사무를 보거나 할 때에 앞에 놓고 쓰는 상.

예 책상 앞에만 붙어 있다고 공부가 잘되는 것은 아니다.

포도[葡 포도 포, 萄 포도 도]

명사 포도과의 낙엽 활엽 덩굴성 나무의 열매.

예 포도가 송이송이 알차게 영글어 가는 계절이 왔다.

필통[筆 붓 필, 筒 통 통]

명사 붓이나 필기구 따위를 꽂아 두는 통.

예 필통 속에는 연필 몇 자루와 지우개가 들어 있었다.

학교[學 배울 학, 校 학교 교]

명사 일정한 목적·교과 과정·설비·제도 및 법규에 의하여 계속적으로 학생에게 교육을 실시하는 기관.

예 내 동생과 나는 같은 학교에 다닌다.

화분[花 꽃 화, 盆 동이 분]

명사 꽃을 심어 가꾸는 그릇.

예 꽃씨를 화분에 심었더니 어느새 파릇파릇 싹이 돋았다.

외래어

라이벌(rival)

영어 같은 목적을 가졌거나 같은 분야에서 일하면서 이기거나 앞서려고 서로 겨루는 맞수.

예 우리 팀은 농구 경기에서 라이벌 팀에 1점 차로 졌다.

리어카(rear car)

영어 자전거 뒤에 달거나 사람이 끄는, 바퀴가 둘 달린 작은 수레.

예 그는 시장에서 리어카에다 오징어, 껌 등을 놓고 팔았다.

엘리베이터(elevator)

영어 동력을 사용하여 사람이나 화물을 아래위로 나르는 장치.

예 정전으로 엘리베이터가 멈춰서 20층까지 걸어 올라갔다.

립싱크(lip sync)

영어 텔레비전이나 영화에서, 화면에 나오는 배우나 가수의 입술 움직임과 음성을 일치시키는 일.

예 성우들은 애니메이션 캐릭터의 입술 놀림에 맞춰 립싱크를 했다.

마인드맵(mind map)

영어 마음속에 지도를 그리듯이 줄거리를 이해하며 정리하는 방법.

예 정현이는 마인드맵을 활용하여 글쓰기 주제와 관련된 생각을 정리했다.

베스트셀러(best seller)

영어 어떤 기간에 가장 많이 팔린 물건.

예 그의 소설은 출간되자마자 베스트셀러가 되었다.

바게트(baguette)

프랑스어 막대기 모양의 기다란 프랑스빵. 겉껍질이 단단하여 씹으면 파삭파삭 소리가 난다.

예 빵집 앞은 갓 구운 바게트를 사려는 사람들로 아침부터 북적였다.

빵[pão]

포르투갈어 밀가루를 주원료로 하여 소금, 설탕, 버터, 효모 따위를 섞어 반죽하여 발효한 뒤에 불에 굽거나 찐 음식. 서양 사람들의 주 음식이다.

예 오늘 점심은 빵과 우유로 간단히 먹기로 했다.

스파게티(spaghetti)

이탈리아어 이탈리아식으로 만든 국수 요리. 마카로니와는 달리 가운데 구멍이 없는 가는 국수에 독특한 소스를 쳐서 먹는다.

예 스파게티를 먹기 전에 마늘빵을 먼저 먹었다.

아르바이트(Arbeit)

독일어 본래의 직업이 아닌, 임시로 하는 일.

예 그는 학비를 마련하려고 여러 종류의 아르바이트를 꾸준히 해 왔다.

액세서리(accessory)

영어 복장의 조화를 도모하는 장식품.

예 그 가게에서는 모자, 신발, 액세서리 등을 판매한다.

요구르트(yogurt)

영어 발효유의 하나. 우유나 양젖 따위를 살균하여 반쯤 농축하고 유산균을 번식시켜 만든 영양 식품이다.

예 아침 식사는 간단하게 요구르트로 때웠다.

워밍업(warming-up)

영어 본격적인 운동이나 경기를 하기 전에, 몸을 풀기 위하여 하는 가벼운 운동.

예 현수는 마라톤 경기 전에 워밍업으로 가볍게 달려 보았다.

원피스(one-piece)

영어 윗옷과 아래옷이 붙어서 한 벌로 된 옷. 주로 여성복에 많다.

예 나는 어렸을 적에 노란색 원피스를 입는 것을 좋아했다.

카페(café)

프랑스어 커피나 음료, 술 또는 가벼운 서양 음식을 파는 집.

예 한적한 카페 안에는 조용한 음악이 흘렀다.

커버(cover)

영어 물건을 보호하거나 가리거나 덮거나 싸는 물건.

예 이 차는 의자 커버도 안 벗긴 새 차이다.

힌트(hint)

영어 어떠한 일을 해결하는 데 실마리가 되는 것.

예 그 형사는 사건을 해결할 힌트를 얻으려고 수사 중이다.

전문어 ①

의사 1: (수술을 진행하며) 보비, …… 켈리 주세요.

의사 2: 관상 동맥까지 잘 살펴요. 어레스트를 조심해야지요.

마취과 의사: 아직까지는 괜찮습니다. 심전도는 정상이고 환자의 상태도 안정적입니다.

보비(bovi) 절개나 지혈에 사용되는 전기 수술 기구.

켈리(kely) 깊은 수술 부위의 조직을 떼어 낼 때 쓰는 가위 모양의 집게.

관상 동맥(冠狀動脈) 심장 동맥. 심장을 둘러싼 동맥.

어레스트(arrest) 심장이 멈추는 현상.

심전도(心電圖) 심장의 수축에 따른 움직임을 나타낸 곡선 도면.

전문어 ②

검사: 재판장님, 재정 증인을 신청합니다.

재판장: 네, 인정합니다. [중략]

재판장: 이제 심리를 종결하겠습니다. …… 변호인, 최후 변론을 해 주세요.

재정 증인 미리 증인으로 호출되거나 소환되지 아니하고 법정에서 선정된 증인.

심리 재판의 기초가 되는 사실 관계, 법률관계를 명확히 하려고 법원이 증거나 방법 따위를 심사하는 행위.

변론 소송 당사자나 변호인이 법정에서 주장하거나 진술함. 또는 그런 주장이나 진술.

은어 ①

기자: 손님들이 알아듣지 못하도록 상인들만의 은어를 사용할 때가 많다고 들었는데 어떤 것이 있나요?

상인: 청과물 상인들이 셈을 할 때 사용하는 은어가 있습니다. 하나, 둘, 셋 대신 각각 먹주, 대, 삼패라고 하지요.

기자: 정말 다른 사람들이 들으면 무슨 말인지 하나도 못 알아듣겠네요.

먹주 청과물 상인들이 '1'을 대신하여 사용하는 말.

대 청과물 상인들이 '2'를 대신하여 사용하는 말.

삼패 청과물 상인들이 '3'을 대신하여 사용하는 말.

은어 ②

심마니 1: 어제 꿈에 큰 산개를 봤어. 오늘은 좋은 일이 있을 것 같아.

심마니 2: 그럼 무림 먹고, 얼른 출발해 보자.

심마니 1: 저번에 산에서 도자를 잃어버렸는데 오늘 데팽이가 짙어서 찾을 수 있을지 모르 겠어.

산개 심마니들이 '호랑이'를 대신하여 쓰는 말.

무림 심마니들이 '밥'을 대신하여 쓰는 말.

도자 심마니들이 '칼'을 대신하여 쓰는 말.

데팽이 심마니들이 '안개'를 대신하여 쓰는 말.

세대 ①

영서: 오늘 서준이 생파 갈 거지? 혹시 생선 샀어? 난 뭐 살지 고민 중이야.

우진: 난 문상 샀어. 서준이가 좋아하는 가수의 새 앨범을 사 주는 건 어때?

영서: 좋은 생각이야. 서준이가 받으면 깜놀하겠는데?

생파 '생일 파티'를 줄여서 쓰는 말.

생선 '생일 선물'을 줄여서 쓰는 말.

문상 '문화 상품권'을 줄여서 쓰는 말.

깜놀 '깜짝 놀라다'를 줄여서 쓰는 말.

세대 ②

할아버지: 자네, 무척 오랜만일세. 그간 별고 없었는가?

젊은이: 저는 평안히 지냈습니다. 어르신께서는 강녕하십니까?

별고(別故) 특별한 사고.

평안(平安) 걱정이나 탈이 없음. 또는 무사히 잘 있음.

강녕(康寧) 몸이 건강하고 마음이 편안함.

지역 방언

감자

명사 가짓과의 여러해살이풀의 덩이줄기. 녹말이 많아 식용하거나 가공용으로 널리 쓴다.

| **감재** 강원도, 경상북도, 전라남도, 평안북도, 함경북도 | **갱게** 함경도 |
| **궁감자** 경상남도 | **북감자** 전라남도 | **지슬** 제주도 |

나무

명사 줄기나 가지가 목질로 된 여러해살이 식물.

낭구 강원도, 경기도, 경상남도, 전라남도, 충청도, 평안도, 함경도, 황해도

남구 경상남도, 전라남도, 제주도 　**낭게** 경상도 　　　　　**남긔** 경기도

낭 제주도 　　　　　　　　　　**낭이** 평안도

부추

명사 백합과의 여러해살이풀. 비늘줄기는 건위·화상 따위에 쓰고, 잎은 식용한다.

부치 함경남도 　　　　　　　　　**분추** 강원도, 경상북도, 충청북도

소풀 경상도, 전라남도 　　　　　　**솔** 경상도, 전라남도

염지 함경도 　　　　　　　　　　**정구지** 경상도, 전라북노, 충청도

졸 충청도 　　　　　　　　　　　**푸초, 푼추** 평안북도

옥수수

명사 옥수수의 열매. 쪄 먹거나 떡, 묵, 밥, 술 따위를 만들어 먹는다.

강낭대죽, 강낭대축 제주도 　　　　**강상수기** 경상북도

강능써울 평안북도 　　　　　　　　**당쉬** 함경도

수꾸 함경북도 　　　　　　　　　　**옥수깨이, 옥수깽이** 충청남도

옥수꾸 경기도, 경상도, 충청도 　　　**옥수시** 경상남도, 전라도

옥시기 강원도, 경기도, 충청도, 함경남도 　**옥시끼** 강원도, 충청도, 함경남도

잠자리

명사 자리목의 곤충을 통틀어 이르는 말. 몸은 가늘고 길며 배에는 마디가 있고 앞머리에 한 쌍의 큰 겹눈이 있다. 두 쌍의 날개는 얇고 투명하며 그물 모양이다.

부잰째리 평안남도 　　　　　**장잘기** 황해도 　　　　　　**잠재** 함경남도

곰부리, 깽자리 경상남도 　　　**오다리** 경상북도 　　　　**간진자리** 전라북도

밤부리 제주도

더 알아 두기

제1부 표준어 사정 원칙

> 여기에서는 <표준어 규정> 중 일부만을 다루었으며, 전문은 국립국어원 누리집에서 확인할 수 있어.

제1장 총칙

제1항 표준어는 교양 있는 사람들이 두루 쓰는 현대 서울말로 정함을 원칙으로 한다.

> 한 나라 안에서 지역적으로나 사회적으로 여러 형태로 쓰이는 말을 단수 혹은 복수의 표준형으로 제시하는 것은 그 나라 국민들의 효율적이고 통일된 의사소통을 위한 것이다. 국어 토박이 화자가 하는 말은 어휘의 형태나 음운의 발음에서 지역적으로나 사회적으로 여러 가지로 나타나는 경우가 많은데, 이러한 여러 형태나 발음 중 하나 혹은 둘을 표준형으로 제시하고자 하는 것이 표준어 규정의 목적이다.
>
> 한글 맞춤법은 그러한 표준형을 문자로 적을 때 올바르게 표기하는 방법을 규정한 것이므로, 표준어 규정은 한글 맞춤법의 전제가 되는 규정이라고 할 수 있다. 다만, 국어 언중들은 한글 맞춤법과 표준어 규정을 뚜렷이 구별하지 않고 한글 맞춤법으로 일원화하여 이해하는 경향이 있어서, 한글 맞춤법에는 표준어 규정에 귀속되어야 할 만한 예가 많이 포함되어 있다. 이는 국어 언중들에게 실용적인 성격의 어문 규정을 제공하려는 의도에서 비롯된 것이다. 이 표준어 규정 제1항에는 표준어를 정하는 사회적, 시대적, 지역적 기준이 제시되어 있다.

제2항 외래어는 따로 사정한다.

> 세계 각국과의 교류가 활발해짐에 따라 물밀 듯이 쏟아져 들어오는 외국의 말은 지속적으로 조사하여 국어의 일부로 수용할 것인가의 여부를 결정해 주어야 할 뿐 아니라, 그 표기 역시 결정해 주어야 한다. 이 조항은 외국의 말이 국어의 일부인 외래어로 인정될 수 있는 것인지를 결정하는 사정 작업을 표준어 규정과는 별도로 한다는 사실을 밝힌 것이다. 표준어를 사정하는 데에는 사회적, 시대적, 지역적 기준을 적용하지만 외래어를 사정하는 데에는 그러한 기준을 적용하기 어렵기 때문에 이 조항을 따로 마련한 것이다.
>
> 이에 따라 외래어는 외래어 표기법(문체부 고시 제2017-14호)을 기준으로 별도로 사정한다. 다만 외래어 표기법의 '외래어'가 고유 명사를 포함해 우리말에 동화되지 않은 모든 외국어를 포함하는 반면, 이 조항의 '외래어'는 우리말에 편입된 말만을 이르는 좁은 개념이다.

제3장 어휘 선택의 변화에 따른 표준어 규정

〈제2절 한자어〉

제21항 고유어 계열의 단어가 널리 쓰이고 그에 대응되는 한자어 계열의 단어가 용도를 잃게 된 것은, 고유어 계열의 단어만을 표준어로 삼는다.(ㄱ을 표준어로 삼고, ㄴ을 버림.)

ㄱ	ㄴ	비고
가루-약	말-약	
구들-장	방-돌	
길품-삯	보행-삯	
까막-눈	맹-눈	
꼭지-미역	총각-미역	
나뭇-갓	시장-갓	
늙-다리	노-닥다리	
두껍-닫이	두껍-창	
떡-암죽	병-암죽	
마른-갈이	건-갈이	
마른-빨래	건-빨래	
메-찰떡	반-찰떡	
박달-나무	배달-나무	
밥-소라	식-소라	큰 놋그릇.
사래-논	사래-답	묘지기나 마름이 부쳐 먹는 땅.
사래-밭	사래-전	
삯-말	삯-마	
성냥	화-곽	
솟을-무늬	솟을-문(~紋)	
외-지다	벽-지다	
움-파	동-파	
잎-담배	잎-초	
잔-돈	잔-전	
조-당수	조-당죽	
죽데기	피-죽	'죽더기'도 비표준어임.
지겟-다리	목-발	지게 동발의 양쪽 다리.
짐-꾼	부지-군(負持-)	
푼-돈	분-전/푼-전	
흰-말	백-말/부루-말	'백마'는 표준어임.
흰-죽	백-죽	

> 단순히 한자어라는 이유로 표준어에서 제외되는 것은 아니다. 한자 혹은 한자가 들어가 있는 어휘 중 현대에 쓰이지 않는 말이 표준어에서 제외되는 것이다. 이 조항에서는 그러한 말들을 별도로 보았다.

제22항 고유어 계열의 단어가 생명력을 잃고 그에 대응되는 한자어 계열의 단어가 널리 쓰이면, 한자어 계열의 단어를 표준어로 삼는다.(ㄱ을 표준어로 삼고, ㄴ을 버림.)

ㄱ	ㄴ	비고
개다리-소반	개다리-밥상	
겸-상	맞-상	
고봉-밥	높은-밥	
단-벌	홑-벌	
마방-집	마바리-집	馬房〜.
민망-스럽다/면구-스럽다	민주-스럽다	
방-고래	구들-고래	
부항-단지	뜸-단지	
산-누에	멧-누에	
산-줄기	멧-줄기/멧-발	
수-삼	무-삼	
심-돋우개	불-돋우개	
양-파	둥근-파	
어질-병	어질-머리	
윤-달	군-달	
장력-세다	장성-세다	
제석	젯-돗	
총각-무	알-무/알타리-무	
칫-솔	잇-솔	
포수	총-댕이	

앞의 제21항과 대립적인 규정이다. 제21항에서 단순히 한자어라서가 아니라 쓰임이 적어서 표준어로 삼지 않은 것과 마찬가지로, 고유어라고 하여도 쓰임이 없으면 표준어로 삼지 않은 것이다. 조항의 예들은 고유어라도 현실 언어에서 쓰이는 일이 없어 생명을 잃은 것이라 그에 짝이 되는 한자어만을 표준어로 삼은 것이다.

〈제3절 방언〉

제23항 방언이던 단어가 표준어보다 더 널리 쓰이게 된 것은, 그것을 표준어로 삼는다. 이 경우, 원래의 표준어는 그대로 표준어로 남겨 두는 것을 원칙으로 한다.(ㄱ을 표준어로 삼고, ㄴ도 표준어로 남겨 둠.)

ㄱ	ㄴ	비고
멍게	우렁쉥이	
물-방개	선두리	
애-순	어린-순	

제23항은 방언이라도 매우 자주 쓰여 표준어만큼 혹은 표준어보다 훨씬 더 널리 쓰이게 된 말은 표준어로 새로이 인정한 것이다.

제24항 방언이던 단어가 널리 쓰이게 됨에 따라 표준어이던 단어가 안 쓰이게 된 것은, 방언이던 단어를 표준어로 삼는다.(ㄱ을 표준어로 삼고, ㄴ을 버림.)

ㄱ	ㄴ	비고
귀밑-머리	귓-머리	
까-뭉개다	까-무느다	
막상	마기	
빈대-떡	빈자-떡	
생인-손	생안-손	준말은 '생-손'임.
역-겹다	역-스럽다	
코-주부	코-보	

제24항은 제23항과 마찬가지로 방언이던 단어를 표준어로 삼은 규정이다. 그러나 여기에서는 애초의 표준어를 아예 버린 것이 다르다.

외래어 표기법

<외래어 표기법>은 총 4장으로 구성되어 있으나 여기에서는 일부만을 다루었어. 전문은 국립국어원 누리집에서 확인해 봐.

제1장 표기의 기본 원칙

제1항 외래어는 국어의 현용 24 자모만으로 적는다.

제2항 외래어의 1 음운은 원칙적으로 1 기호로 적는다.

제3항 받침에는 'ㄱ, ㄴ, ㄹ, ㅁ, ㅂ, ㅅ, ㅇ'만을 쓴다.

제4항 파열음 표기에는 된소리를 쓰지 않는 것을 원칙으로 한다.

제5항 이미 굳어진 외래어는 관용을 존중하되, 그 범위와 용례는 따로 정한다.

제3장 표기 세칙

〈제1절 영어의 표기〉

제1항 무성 파열음 ([p], [t], [k])

1. 짧은 모음 다음의 어말 무성 파열음([p], [t], [k])은 받침으로 적는다.

| gap[gæp] 갭 | cat[kæt] 캣 | book[buk] 북 |

2. 짧은 모음과 유음·비음([l], [r], [m], [n]) 이외의 자음 사이에 오는 무성 파열음([p], [t], [k])은 받침으로 적는다.

| apt[æpt] 앱트 | setback[setbæk] 셋백 | act[ækt] 액트 |

3. 위 경우 이외의 어말과 자음 앞의 [p], [t], [k]는 '으'를 붙여 적는다.

stamp[stæmp] 스탬프	cape[keip] 케이프	nest[nest] 네스트
part[pɑːt] 파트	desk[desk] 데스크	make[meik] 메이크
apple[æpl] 애플	mattress[mætris] 매트리스	chipmunk[tʃipmʌŋk] 치프멍크
sickness[siknis] 시크니스		

제2항 유성 파열음([b], [d], [g])

어말과 모든 자음 앞에 오는 유성 파열음은 '으'를 붙여 적는다.

| bulb[bʌlb] 벌브 | land[lænd] 랜드 | zigzag[zigzæg] 지그재그 |
| lobster[lɔbstə] 로브스터 | kidnap[kidnæp] 키드냅 | signal[signəl] 시그널 |

제3항 마찰음([s], [z], [f], [v], [θ], [ð], [ʃ], [ʒ])

1. 어말 또는 자음 앞의 [s], [z], [f], [v], [θ], [ð]는 '으'를 붙여 적는다.

mask[mɑːsk] 마스크	jazz[dʒæz] 재즈	graph[græf] 그래프
olive[ɔliv] 올리브	thrill[θril] 스릴	bathe[beið] 베이드

2. 어말의 [ʃ]는 '시'로 적고, 자음 앞의 [ʃ]는 '슈'로, 모음 앞의 [ʃ]는 뒤따르는 모음에 따라 '샤', '섀', '셔', '셰', '쇼', '슈', '시'로 적는다.

flash[flæʃ] 플래시	shrub[ʃrʌb] 슈러브	shark[ʃɑːk] 샤크
shank[ʃæŋk] 섕크	fashion[fæʃən] 패션	sheriff[ʃerif] 셰리프
shopping[ʃɔpiŋ] 쇼핑	shoe[ʃuː] 슈	shim[ʃim] 심

3. 어말 또는 자음 앞의 [ʒ]는 '지'로 적고, 모음 앞의 [ʒ]는 'ㅈ'으로 적는다.

mirage[mirɑːʒ] 미라지	vision[viʒən] 비전

제4항 파찰음([ts], [dz], [tʃ], [dʒ])

1. 어말 또는 자음 앞의 [ts], [dz]는 '츠', '즈'로 적고, [tʃ], [dʒ]는 '치', '지'로 적는다.

Keats[kiːts] 키츠	odds[ɔdz] 오즈	switch[switʃ] 스위치
bridge[bridʒ] 브리지	Pittsburgh[pitsbəːg] 피츠버그	
hitchhike[hitʃhaik] 히치하이크		

2. 모음 앞의 [tʃ], [dʒ]는 'ㅊ', 'ㅈ'으로 적는다.

chart[tʃɑːt] 차트	virgin[vəːdʒin] 버진

제5항 비음([m], [n], [ŋ])

1. 어말 또는 자음 앞의 비음은 모두 받침으로 적는다.

steam[stiːm] 스팀	corn[kɔːn] 콘	ring[riŋ] 링
lamp[læmp] 램프	hint[hint] 힌트	ink[iŋk] 잉크

2. 모음과 모음 사이의 [ŋ]은 앞 음절의 받침 'ㅇ'으로 적는다.

hanging[hæŋiŋ] 행잉	longing[lɔŋiŋ] 롱잉

제6항 유음([l])

1. 어말 또는 자음 앞의 [l]은 받침으로 적는다.

hotel[houtel] 호텔	pulp[pʌlp] 펄프

2. 어중의 [l]이 모음 앞에 오거나, 모음이 따르지 않는 비음([m], [n]) 앞에 올 때에는 'ㄹㄹ'로 적는다. 다만, 비음([m], [n]) 뒤의 [l]은 모음 앞에 오더라도 'ㄹ'로 적는다.

slide[slaid] 슬라이드	film[film] 필름	helm[helm] 헬름
swoln[swouln] 스월른	Hamlet[hæmlit] 햄릿	Henley[henli] 헨리

제4장 인명, 지명 표기의 원칙

〈제1절 표기 원칙〉

제1항 외국의 인명, 지명의 표기는 제1장, 제2장, 제3장의 규정을 따르는 것을 원칙으로 한다.

제2항 제3장에 포함되어 있지 않은 언어권의 인명, 지명은 원지음을 따르는 것을 원칙으로 한다.

Ankara 앙카라	Gandhi 간디

제3항 원지음이 아닌 제3국의 발음으로 통용되고 있는 것은 관용을 따른다.

Hague 헤이그	Caesar 시저

제4항 고유 명사의 번역명이 통용되는 경우 관용을 따른다.

Pacific Ocean 태평양	Black Sea 흑해

〈제2절 동양의 인명, 지명 표기〉

제1항 중국 인명은 과거인과 현대인을 구분하여 과거인은 종전의 한자음대로 표기하고, 현대인은 원칙적으로 중국어 표기법에 따라 표기하되, 필요한 경우 한자를 병기한다.

제2항 중국의 역사 지명으로서 현재 쓰이지 않는 것은 우리 한자음대로 하고, 현재 지명과 동일한 것은 중국어 표기법에 따라 표기하되, 필요한 경우 한자를 병기한다.

제3항 일본의 인명과 지명은 과거와 현대의 구분 없이 일본어 표기법에 따라 표기하는 것을 원칙으로 하되, 필요한 경우 한자를 병기한다.

제4항 중국 및 일본의 지명 가운데 한국 한자음으로 읽는 관용이 있는 것은 이를 허용한다.

東京 도쿄, 동경	京都 교토, 경도	上海 상하이, 상해
臺灣 타이완, 대만	黃河 황허, 황하	

〈제3절 바다, 섬, 강, 산 등의 표기 세칙〉

제1항 바다는 '해(海)'로 통일한다.

홍해	발트해	아라비아해

제2항 우리나라를 제외하고 섬은 모두 '섬'으로 통일한다.

타이완섬	코르시카섬	(우리나라: 제주도, 울릉도)

제3항 한자 사용 지역(일본, 중국)의 지명이 하나의 한자로 되어 있을 경우, '강', '산', '호', '섬' 등은 겹쳐 적는다.

온타케산(御岳)	주장강(珠江)	도시마섬(利島)
하야카와강(早川)	위산산(玉山)	

제4항 지명이 산맥, 산, 강 등의 뜻이 들어 있는 것은 '산맥', '산', '강' 등을 겹쳐 적는다.

Rio Grande 리오그란데강	Monte Rosa 몬테로사산
Nont Blanc 몽블랑산	Sierra Madre 시에라마드레산맥

1주 언어의 본질

32~33쪽

01 ㉠ 의미 ㉡ 말소리 02 (1) 자의성 (2) 창조성 (3) 사회성
(4) 역사성 03 (1) ㉢ (2) ㉡ (3) ㉣ (4) ㉠ 04 ① 05 사회적
06 (1) ㉠ (2) ㉢ (3) ㉣ (4) ㉡ 07 언어의 창조성

01 언어는 내용과 형식으로 이루어져 있다. 언어의 내용은 단어가 가리키는 의미이고, 언어의 형식은 단어를 발음할 때 나는 말소리이다.

02 (1) 언어의 의미와 말소리가 필연적으로 결합한 것이 아니라 우연히 그렇게 맺어진 것은 언어의 자의성과 관련 있다.
(2) 인간이 이미 알고 있는 단어를 바탕으로 새로운 단어나 문장을 끊임없이 만들어 낼 수 있는 것은 언어의 창조성과 관련 있다.
(3) 언어는 그 언어를 사용하는 사람들 사이의 사회적 약속이므로 어느 한 개인이 마음대로 바꿀 수 없는 것은 언어의 사회성과 관련 있다.
(4) 시간의 흐름에 따라 쓰이던 말이 쓰이지 않게 되어 사라지거나, 의미나 말소리가 변하거나, 없던 말이 생기기도 하는 것은 언어의 역사성과 관련 있다.

03 (1) 과거에 사용되던 단어가 오늘날에는 쓰이지 않는 것은 시간의 흐름에 따라 언어가 변화한다는 언어의 역사성과 관련 있다.
(2) '수박'이라는 단어를 '수세미'로 마음대로 바꾸어 써서 의사소통에 문제가 생긴 것은 언어는 그 언어를 사용하는 사람들 사이의 사회적 약속이므로 개인이 마음대로 바꿀 수 없다는 언어의 사회성과 관련 있다.
(3) 어린아이가 기존에 알고 있는 단어를 활용하여 새로운 문장을 만들어 내는 것은 단어들을 결합해 무수히 많은 문장을 만들 수 있다는 언어의 창조성과 관련 있다.
(4) '딸기'라는 의미를 표현하는 말소리가 언어마다 다른 것은 언어의 의미와 말소리는 필연적으로 결합한 것이 아니라는 언어의 자의성과 관련이 있다.

04 '은하수', '밀키 웨이(Milky Way)', '갤럭시(galaxy)'는 모두 같은 대상을 가리키지만 언어마다 말소리가 다른 예로, 언어의 의미와 말소리 사이의 관계가 필연적이지 않다는 언어의 자의성과 관련 있다.

05 '사과'를 '사과'라고 부르기로 한 것은 사회적 약속이기 때문에 한 개인이 사과를 '복숭아'라고 마음대로 바꾸어 부르면 의사소통에 문제가 생길 수 있다.

06 (1) 예전에 '뫼'는 '산'을, '미르'는 '용'을 뜻하는 말로 쓰였는데, 오늘날에는 쓰이지 않는다.
(2) '어리다'는 과거에는 '어리석다'의 뜻으로 쓰였으나 현재는 '나이가 적다'의 뜻으로 쓰이고, '어여쁘다'는 과거에는 '불쌍하다'라는 뜻으로 쓰였으나 지금은 '예쁘다'라는 뜻으로 쓰인다.
(3) '나모', '복셩화', '슈박'은 각각 '나무', '복숭아', '수박'의 옛말로, 같은 대상을 부르는 말소리가 변한 예이다.
(4) '인공위성', '내비게이션'은 새로운 사물이나 개념이 생겨나면서 새로 만들어진 말이다.

07 〈보기〉처럼 이미 알고 있는 단어를 활용해서 새로운 단어나 문장을 만들어 낼 수 있는 것은 언어의 창조성과 관련 있다.

2주 품사의 종류와 특성

34~35쪽

01 (1) 품사 (2) 형태 (3) 기능 (4) 의미 02 (1) ㉠ (2) ㉢ (3) ㉣
(4) ㉡ (5) ㉢ (6) ㉣ (7) ㉤ (8) ㉧ (9) ◎ 03 (1) 동사 (2) 명사
(3) 형용사 (4) 부사 (5) 관형사 (6) 대명사 (7) 감탄사 (8) 수사 (9) 조
사 04 ③ 05 (1) 네 (2) 이다 (3) 모든 (4) 쌩쌩

01 (1) 공통된 성질에 따라 묶은 단어의 갈래를 품사라고 한다.
(2) 단어가 문장에서 쓰일 때 형태가 변하느냐, 변하지 않느냐에 따라 가변어와 불변어로 나뉜다.
(3) 단어가 문장에서 어떤 기능을 하느냐에 따라 체언, 용언, 수식언, 관계언, 독립언으로 나뉜다.
(4) 단어가 문장에서 어떤 의미를 나타내느냐에 따라 명사, 대명사, 수사, 동사, 형용사, 관형사, 부사, 조사, 감탄

사로 나뉜다.

02 (1) 명사는 사람이나 사물 등의 이름을 나타내는 단어이다.
(2) 대명사는 사람이나 사물, 장소의 이름을 대신하여 나타내는 단어이다.
(3) 수사는 사람이나 사물 등의 수량이나 순서를 나타내는 단어이다.
(4) 동사는 사람이나 사물 등의 움직임을 나타내는 단어이다.
(5) 형용사는 사람이나 사물 등의 상태나 성질을 나타내는 단어이다.
(6) 관형사는 체언 앞에 놓여서, 체언을 꾸며 주는 단어이다.
(7) 부사는 주로 용언 앞에 놓여서, 용언을 꾸며 주는 단어이다.
(8) 조사는 주로 체언 뒤에 붙어서 다른 말과의 문법적 관계를 나타내거나 특별한 뜻을 더해 주는 단어이다.
(9) 감탄사는 놀람, 반가움 등의 느낌, 부름이나 대답을 나타내는 단어이다.

03 (1) '가다', '먹다'는 사람이나 사물 등의 움직임을 나타내는 동사이다.
(2) '나무', '희망'은 사람이나 사물 등의 이름을 나타내는 명사이다.
(3) '넓다', '하얗다'는 사람이나 사물 등의 상태나 성질을 나타내는 형용사이다.
(4) '꼭', '먼저', '쌩쌩'은 주로 용언을 꾸며 주는 부사이다.
(5) '새', '헌', '옛', '모든'은 체언을 꾸며 주는 관형사이다.
(6) '우리', '그것', '저기'는 사람이나 사물, 장소의 이름을 대신하여 나타내는 대명사이다.
(7) '어머나', '이봐', '그래'는 놀람, 반가움 등의 느낌, 부름이나 대답을 나타내는 감탄사이다.
(8) '하나', '둘', '첫째', '둘째'는 사람이나 사물 등의 수량이나 순서를 나타내는 수사이다.
(9) '이/가', '께서', '은/는', '도', '조차'는 주로 체언 뒤에 붙어서 다른 말과의 문법적 관계를 나타내거나 특별한 뜻을 더해 주는 조사이다.

04 용언에는 동사와 형용사가 있으며, ③의 '바다'는 사람이나 사물 등의 이름을 나타내는 명사로 체언에 속한다.
오답 풀이
①, ② '맑다', '깨끗하다'는 사람이나 사물 등의 상태나 성

질을 나타내는 형용사이다.
④, ⑤ '보았다', '먹었다'는 사람이나 사물 등의 움직임을 나타내는 동사이다.

05 (1) 대답을 나타내는 감탄사인 '네'가 들어가는 것이 적절하다.
(2) 주로 체언 뒤에 붙어서 다른 말과의 문법적 관계를 나타내는 조사인 '이다'가 들어가는 것이 적절하다.
(3) 뒤에 오는 체언 '준비'를 꾸며 주는 관형사 '모든'이 들어가는 것이 적절하다.
(4) 뒤에 오는 용언 '달린다'를 꾸며 주는 부사 '쌩쌩'이 들어가는 것이 적절하다.

3주 어휘의 체계와 양상

36~37쪽

01 (1) 외래어 (2) 한자어 (3) 고유어 **02** (1) ⓒ (2) ⓒ (3) ㉠
03 (1) 은어 (2) 표준어 (3) 친근감 (4) 방언 **04** (가) 세대 (나) 직업 **05** (1) ⓒ (2) ㉠ (3) ⓒ **06** (1) 다의어 (2) 동음이의어

01 (1) 다른 나라에서 들어온 말 가운데 우리말처럼 쓰이는 말은 외래어이다.
(2) 한자를 바탕으로 만들어진 말로, 고유어를 보완해 주는 역할을 하는 것은 한자어이다.
(3) 우리말에 본디부터 있던 말이나 이것에 기초하여 새로 만들어진 말은 고유어이다.

02 (1) '학교', '책상', '안경'은 우리말 어휘 중 한자어에 속한다.
(2) '주스', '피아노', '티셔츠'는 우리말 어휘 중 외래어에 속한다.
(3) '거울', '주머니', '달콤하다'는 우리말 어휘 중 고유어에 속한다.

03 (1) 은어는 특정 집단의 비밀을 유지하기 위해 사용하는 말로, 사회 방언에 속한다.
(2) 표준어는 한 나라에서 공용어로 쓰도록 규범으로 정한 언어이다.
(3) 같은 지역 방언을 사용하는 사람들은 서로 친근감과 유대감을 느낄 수 있다.

(4) 방언은 한 언어에서 사용 지역이나 사회 계층에 따라 분화된 말로, 지역 방언과 사회 방언이 있다.

04 (가)에서 손녀는 '문상'을 '문화 상품권'의 줄임 말로 사용하고 있으나, 할머니는 이를 '남의 죽음을 슬퍼하는 뜻을 드러내어 상주를 위문'한다는 뜻으로 받아들여 의사소통에 문제가 발생했다. 따라서 '문상'은 세대에 따른 사회 방언에 해당한다. (나)에서는 의학 분야에서 사용하는 전문어를 사용하여 의사와 간호사가 효율적으로 의사소통하고 있으므로 이는 직업에 따른 사회 방언에 해당한다.

05 (1) '가끔'은 '시간적·공간적 간격이 얼마쯤씩 있게'를 의미하고, '이따끔'은 '얼마쯤씩 있다가 가끔'을 의미하므로 두 단어는 유의 관계에 있다.
(2) '맞다'는 '문제에 대한 답이 틀리지 아니하다.'를 의미하고, '틀리다'는 '셈이나 사실 따위가 그르게 되거나 어긋나다.'를 의미하므로 두 단어는 반의 관계에 있다.
(3) '블라우스'는 '옷'에 포함되는 하의어이고, '옷'은 '블라우스'를 포함하는 상의어이므로 두 단어는 상하 관계에 있다.

06 (1) 밑줄 친 '머리'는 하나의 중심적 의미에서 나온 여러 개의 주변적 의미가 있는 다의어이다.
(2) 밑줄 친 '배'들은 소리는 같으나 중심적 의미가 서로 다르고 단어의 의미 사이에 연관성이 없는 동음이의어이다.

어휘력 키우기

어휘력 테스트   42~43쪽

01 (1) ㄹ (2) ㄴ (3) ㄱ (4) ㄷ   02 ①   03 (1) 다음 (2) 틈 (3) 쉬워서 (4) 굵어서   04 ②   05 ⑤   06 (1) 다 (2) 동

01 (1) '발'은 소리는 같으나 의미가 다른 동음이의어로, 첫 번째 '발'은 '사람이나 동물의 다리 맨 끝부분'을 의미하고 두 번째 '발'은 '가늘고 긴 대를 줄로 엮거나, 줄 따위를 여러 개 나란히 늘어뜨려 만든 물건'을 의미한다.
(2) '낮'과 '밤'은 의미가 서로 반대되는 반의어이다.
(3) '예쁘다'와 '아름답다'는 말소리는 다르지만 의미가 비

숫한 유의어이다.
(4) '머리'는 하나의 중심적 의미에서 나온 여러 개의 주변적 의미가 있는 다의어이다. 첫 번째 '머리'는 '사람이나 동물의 목 위의 부분'을 의미하고, 두 번째 '머리'는 '생각하고 판단하는 능력'을 의미한다.

02 ①의 '가끔'은 '시간적·공간적 간격이 얼마쯤씩 있게'라는 뜻이고, '자주'는 '같은 일을 잇따라 잦게'라는 뜻이므로 두 단어는 의미가 서로 반대되는 반의어이다. ②~⑤는 모두 말소리는 다르지만 의미가 비슷한 유의어이다.

03 (1) '다른 일을 먼저 한 뒤의 차례'를 의미하는 '나중'이 적절하다.
(2) '어떤 일을 하다가 생각 따위를 다른 데로 돌릴 수 있는 시간적인 여유'를 의미하는 '틈'이 적절하다.
(3) '하기가 까다롭거나 힘들지 않다.'를 의미하는 '쉬워서'가 적절하다.
(4) '물체의 지름이 보통의 경우를 넘어 길다.'를 의미하는 '굵어서'가 적절하다.

04 '높다'는 '아래에서 위까지의 길이가 길다.'를 의미하고, '낮다'는 '아래에서 위까지의 높이가 기준이 되는 대상이나 보통 정도에 미치지 못하는 상태에 있다.'를 의미하므로 두 단어는 의미가 서로 반대되는 반의어이다. 이와 같이 반의 관계에 있는 단어는 ② '상승-하강'이다. '상승'은 '낮은 데서 위로 올라감.'을 의미하고, '하강'은 '높은 곳에서 아래로 향하여 내려옴.'을 의미한다.

오답 풀이
①, ③, ⑤ 서로 의미가 유사한 유의어이다.
④ '과일'은 '사과'를 포함하는 상의어이고 '사과'는 '과일'에 포함되는 하의어이다.

05 '보다'는 ㉠이 중심적 의미이고 ㉡~㉤이 주변적 의미인 다의어이다. ㉣과 같은 의미로 쓰인 것은 ⑤이다.

오답 풀이
①, ② '보다'가 ㉠의 의미로 쓰였다.
③ '보다'가 ㉡의 의미로 쓰였다.
④ '보다'가 ㉢의 의미로 쓰였다.

06 (1) ㉠은 '길'의 중심적 의미, ㉡은 '길'의 주변적 의미로 쓰였으므로 '길'은 다의어이다.
(2) ㉠의 '손'은 '다른 곳에서 찾아온 사람'을 의미하고, ㉡의 '손'은 '사람의 팔목 끝에 달린 부분'을 의미하므로 두 단어는 동음이의어이다.

내 안의 국어 DNA를 깨우자!

국어 공부력을 기르는
DNA 깨우기

중학에서 다지는 국어 공부력

비문학 독해, 문학, 문법, 어휘 등
어느 것 하나 놓칠 수 없는
중학 국어 공부의 확실한 해법!

알찬 구성, 친절한 안내

개념·원리 이해부터 문제 적용까지
학습 계획표를 따라 공부하면
어느새 실력이 쑥쑥!

교과 연계로 학습 효율 UP

교과와 연계하여 내용을 선정함으로써
배경지식을 쌓으며 내신도 챙길 수 있는
일석이조의 효율적인 학습 시스템!

비문학 독해 DNA 깨우기 (4권)
❶ 독해 기초 / ❶ 독해 원리 /
❷ 독해 기술 / ❸ 기출 유형

문학 DNA 깨우기 (3권)
❶ 기본 개념 / ❷ 감상 원리 /
❸ 기출 유형

문법 DNA 깨우기 (1권)

어휘 DNA 깨우기 (2권)
기본 / 실력

book.chunjae.co.kr

교재 내용 문의 ·················· 교재 홈페이지 ▶ 중학 ▶ 교재상담
교재 내용 외 문의 ················ 교재 홈페이지 ▶ 고객센터 ▶ 1:1문의
발간 후 발견되는 오류 ············ 교재 홈페이지 ▶ 중학 ▶ 학습지원 ▶ 학습자료실